W9-BIK-463

CANAL
COCINA
LA COMIDA NOS UNE®

COCINA AFRODISÍACA

30 menús para seducir

Las mejores recetas del programa de Canal Cocina

Grijalbo

El papel utilizado para la impresión de este libro ha sido fabricado a partir de madera procedente de bosques y plantaciones gestionadas con los más altos estándares ambientales, garantizando una explotación de los recursos sostenible con el medio ambiente y beneficiosa para las personas. Por este motivo, Greenpeace acredita que este libro cumple los requisitos ambientales y sociales necesarios para ser considerado un libro «amigo de los bosques». El proyecto «Libros amigos de los bosques» promueve la conservación y el uso sostenible de los bosques, en especial de los Bosques Primarios, los últimos bosques vírgenes del planeta.

Primera edición: febrero de 2013

Maquetación: Roser Colomer

Fotocomposición: gama sl

Printed in Spain - Impreso en España

ISBN: 978-84-253-5003-0

Depósito legal: B-1116-2013

Impreso y encuadernado en Egedsa, Sabadell (Barcelona)

G R 5 0 0 3 0

SUMARIO

INTRODUCCIÓN
Víctor Enrich

Divertido, perfeccionista y gran amante de su trabajo, así es Víctor Enrich, un joven cocinero madrileño que un día decidió abandonar su trabajo de analista financiero para dedicarse profesionalmente a lo que más le gustaba, la cocina, y ha conseguido hacerse un hueco entre el exigente público madrileño con su restaurante ENRICH. Siempre ha contado con el apoyo de su mujer, María Vega de Seoane, y tras tomar la decisión de abandonar la corbata por el mandil pidió trabajo a un amigo que tenía un restaurante.

Luego pasó por el asador Illumbe, donde aprendió a dar el punto exacto de cocción a las carnes, y después de aprender algo de francés se fue a París con su mujer a estudiar en el prestigioso Cordon Bleu.

Tras su paso por el restaurante Neo trabajó en **Eneldo Catering,** introduciendo nuevas técnicas y platos, y es a finales de 2005 cuando decide abrir su propio restaurante, ENRICH.

Víctor basa su cocina en el respeto a los sabores, los fuegos lentos, las reducciones bien hechas y la materia prima de la más alta calidad. La cocina de Enrich es la alta cocina clásica, donde perviven las bases de las recetas de toda la vida pero cuidando al máximo la presentación de los platos.

Además de la cocina, que es su gran afición a parte de su trabajo, Víctor es un apasionado del deporte.

El sueño de ser cocinero, que Víctor tenía desde que era un niño, ya lo ha cumplido, y con creces, y en el futuro le gustaría montar un restaurante en el campo y cocinar de forma más relajada rodeado de los suyos.

Enrich se ocupa de transmitir y aplicar esta filosofía en sus restaurantes, El Pract&Co by Enrich y El Taller de la Hamburguesa.

ANTEPASADOS AFRODISÍACOS

Cigalitas en satay con espuma de salsa americana y ensalada tibia de lentejas

- 12 cigalitas terciadas
- curry
- guindillas tailandesas
- sal

Para la espuma de salsa americana:

- 1 cebolla
- ajo
- ½ pimiento rojo
- ½ pimiento amarillo
- las cabezas de las cigalas
- coñac
- 2 tomates maduros
- pimentón en polvo
- vino blanco
- aceite de oliva de 0,4 grados de acidez
- hojas de gelatina (6 láminas por cada litro de salsa)
- sal

Para la ensalada:

- lentejas cocidas
- cebolleta
- cilantro
- pimiento rojo (opcional)
- pimiento amarillo (opcional)
- aceite de oliva

Pelamos las cigalitas, dejando solo la cola y reservando las cabezas. Ensartamos cada una en un palo para pinchos.

Para la salsa, picamos la cebolla, el ajo, el pimiento rojo y el amarillo y lo rehogamos en una cazuelita con aceite de oliva. Cuando esté bien pochado añadimos las cabezas de las cigalas y las rehogamos bien. Aplastamos las cabezas para que suelten su jugo.

Flambeamos con coñac y cuando se apague el fuego, añadimos los tomates picados, el pimentón, la sal y el vino. Dejamos que se reduzca todo durante 20 minutos aproximadamente.

Trituramos todo con una batidora eléctrica, pasamos por un colador fino y lo volcamos en una cazuelita. Añadimos las láminas de gelatina previamente hidratadas a esta salsa, que debe estar caliente, pero sin que llegue a hervir. A continuación llenamos con ella un sifón y lo metemos en la nevera hasta que esté muy frío. Mientras, hacemos la ensalada que acompañará a las cigalas. Calentamos las lentejas y la cebolleta en un cazo a fuego muy suave. Las aliñamos con unas hojas de cilantro

y aceite de oliva. Si queremos también podemos añadir un poco de pimiento rojo y amarillo picados.

Por otro lado, ponemos a calentar aceite de oliva en un cazo. Es importante que no se caliente demasiado (entre 60 y 70 °C).

Condimentamos las cigalitas con un poco de curry y de sal, y las sumergimos en el aceite hasta que empiecen a pasar de transparente a blanco opaco. No hay que cocerlas más, si no se resecarían mucho.

Para montar el plato preparamos dos copas. En el fondo de cada una colocamos la espuma de salsa americana y encima ponemos una cigala. A continuación añadimos la ensalada, una guindilla y otra cigala cruzada en la copa para decorar.

Pastel de zanahoria «medio sake» con crema inglesa de jengibre

Para el pastel:

- 150 g de zanahorias
- 75 g de azúcar
- 50 g de almendra en polvo
- 50 g de mantequilla
- levadura
- 100 g de harina
- 3 huevos
- 100 ml de sake
- almíbar

Para la crema inglesa:

- 5 g de jengibre fresco
- 5 yemas de huevo
- ½ litro de nata líquida
- vainilla
- 150 g de azúcar

Para la salsa inglesa cocer la nata con el jengibre y dejarla reposar durante 12 horas en la nevera.

Después de que la nata haya reposado, la ponemos a cocer con un poco de vainilla.

En un bol, batimos las 5 yemas con el azúcar y cuando la crema esté bien ligada, añadimos la nata al bol. Lo removemos todo lentamente y lo cocemos al baño María durante 1 minuto aproximadamente. Sacamos el bol del agua caliente y lo pasamos a un recipiente con agua con hielo para que la crema no se siga cocinando.

Reservamos la crema en la nevera.

Para el pastel. Lavamos, pelamos y rallamos las zanahorias. Las mezclamos con el azúcar, la almendra, la mantequilla en pomada (a temperatura ambiente), la levadura mezclada con la harina, las claras de los huevos ligeramente montadas y las yemas. Lo removemos todo hasta obtener una masa uniforme.

Untamos un molde con mantequilla y lo espolvoreamos con harina, para que no se pegue el pastel. Después lo rellenamos con la masa repartiéndola bien por todo el molde.

Hornearemos el pastel entre 45 y 60 minutos a 160 °C, según el tamaño del molde que usemos. Sabremos bien cuando está hecho pinchándolo con un cuchillo en el centro; si el cuchillo sale limpio o muy caliente, el pastel estará listo.

Servimos en un plato con el fondo cubierto de salsa inglesa. Mojamos el bizcocho en un poco de sake rebajado con almíbar y lo colocamos encima de la salsa. Para acompañar, podemos añadir unas frutas exóticas, como fruta de la pasión o fruta del dragón, y un poco de canela en rama.

MENÚ 2 El Antiguo Egipto

Pichones guisados con cerveza, comino y uvas, y polenta

- 4 pichones
- 2 cebollas
- 1 zanahoria
- apio
- 1 vasito de coñac
- 4 cervezas de botella
- 2 vasos de vino tinto
- laurel
- pimienta negra
- comino
- uvas
- miel
- sal

Para la polenta:

- 6 tazas de agua o caldo
- 2 cucharaditas de sal
- 1 cucharada de aceite de oliva
- 2 tazas de harina de maíz

Picamos la cebolla, la zanahoria pelada y el apio (si al final se tritura la salsa no hará falta que esté demasiado picado). Lo pochamos en una cazuela.

Mientras, cortamos los pichones bien limpios, en cuartos, y los salpimentamos. Los ponemos en una sartén con aceite caliente. Cuando estén dorados, los flambeamos con el coñac y dejamos que se reduzca.

Cuando la salsa de los pichones se haya reducido lo suficiente, lo pasamos todo a la cazuela con las verduras y añadimos unas hojas de laurel y un poco de pimienta negra y comino, dos ingredientes muy afrodisíacos. También agregamos el vino y la cerveza.

Dejamos cocer los pichones con la cazuela medio tapada hasta que la carne esté bien tierna y se separe de los huesos (entre 1 hora y media y 2 horas). Los últimos 20 minutos destapamos la cazuela para que se reduzca todo junto y se vaya ligando la salsa. Al final podemos o bien sacar los pichones de la cazuela y triturar la salsa, o bien dejarlo todo junto.

En un cazo aparte, ponemos las uvas con la miel y un poco de agua. Dejamos que se vayan confitando a fuego lento. Estarán listas cuando la miel haya caramelizado las uvas.

Para la polenta, mezclamos todos los ingredientes en un cazo, lo tapamos y cocinamos 10 minutos, revolviendo a media cocción y al final, tapamos el cazo de nuevo y continuamos la cocción durante 2 minutos más, siempre al máximo hasta lograr la consistencia deseada, revolviendo cuando haya pasado 1 minuto.

Servimos el pichón con un poco de salsa en un plato acompañado por las uvas caramelizadas y la polenta, que colocamos con la ayuda de un molde, para que quede más vistoso. Para decorar podemos colocar unas uvas frescas.

MENÚ 2 El Antiguo Egipto

Tarta fina de higos y almendras

- 50 g de almendras en polvo
- 1 huevo
- 200 g de harina
- 100 g de mantequilla
- 50 g de azúcar
- 8 higos grandes
- frutos rojos
- 1 vaina de vainilla
- mermelada de higos
- azúcar glas
- mantequilla

Para hacer la masa quebrada, mezclamos con las yemas de los dedos la harina con la mantequilla bien fría cortada en dados y con las almendras, hasta obtener una especie de arenilla. Entonces añadimos el huevo y lo incorporamos bien. En este momento se pude agregar el azúcar, pero también se puede añadir al final. Si la masa queda un poco seca, podemos hidratarla con un poco de agua fría.

Pasamos la masa a una encimera o a una tabla y le añadimos las semillas de una vaina de vainilla (abrimos la vaina por la mitad y con la punta de un cuchillo sacamos las semillas). Amasamos con las palmas de las manos y después estiramos la masa.

Con un molde redondo, cortamos dos círculos y los colocamos en una bandeja de horno forrada con papel sulfurizado. Cubrimos los círculos de masa con otro trozo de papel sulfurizado y les ponemos peso encima para que no suban nada. Los horneamos durante 15 minutos a 170 °C.

Retiramos las tartas del horno y las untamos con la mermelada de higo.

Cortamos los higos en láminas finas. Cubrimos las tartas con las láminas y las espolvoreamos con azúcar glas. Distribuimos unos dados de mantequilla por encima y las horneamos unos 20 minutos a 170 °C.

Antes de servirlas, espolvoreamos las tartas con más azúcar glas y las decoramos con unos frutos rojos y unas vainas de vainilla. El acompañamiento ideal sería una bola de helado, pero en el antiguo Egipto no había helados.

Ragú de cerdo con higos secos y queso feta

- ½ kg de carne magra de cerdo
- 10 higos secos
- 200 g de queso feta
- 2 cebollas
- 2 zanahorias
- apio
- queso feta
- 2 dientes de ajo
- 2 tomates triturados
- 2 vasos de vino tinto
- 2 vasos de mosto
- caldo o agua para la cocción
- comino
- romero
- pimentón
- laurel
- cilantro
- pimienta negra
- sal

Cortamos la carne en dados, la salpimentamos y la enharinamos. Ponemos una cazuela al fuego con aceite y cuando esté bien caliente, doramos todos los trozos.

Mientras se fríe la carne, vamos picando la cebolla, la zanahoria pelada y el apio, y cuando la carne ya esté dorada, añadimos estas verduras y las especias (comino, romero, pimentón, laurel y cilantro) a la cazuela. Incorporamos los tomates triturados y lo rehogamos todo junto.

Añadimos el caldo, el vino tinto y el mosto. Dejamos reducir el líquido durante 30 minutos aproximadamente con la cazuela medio tapada.

A continuación agregamos los higos secos picados y el queso feta cortado en dados. Lo dejamos 5 minutos con la cazuela destapada, no más, para que el queso no se deshaga demasiado.

Para servir, colocamos una ración de ragú en el centro de un plato con la ayuda de un molde redondo. Alrededor distribuimos unos higos secos, espolvoreados con pimentón y unas hojitas de cilantro.

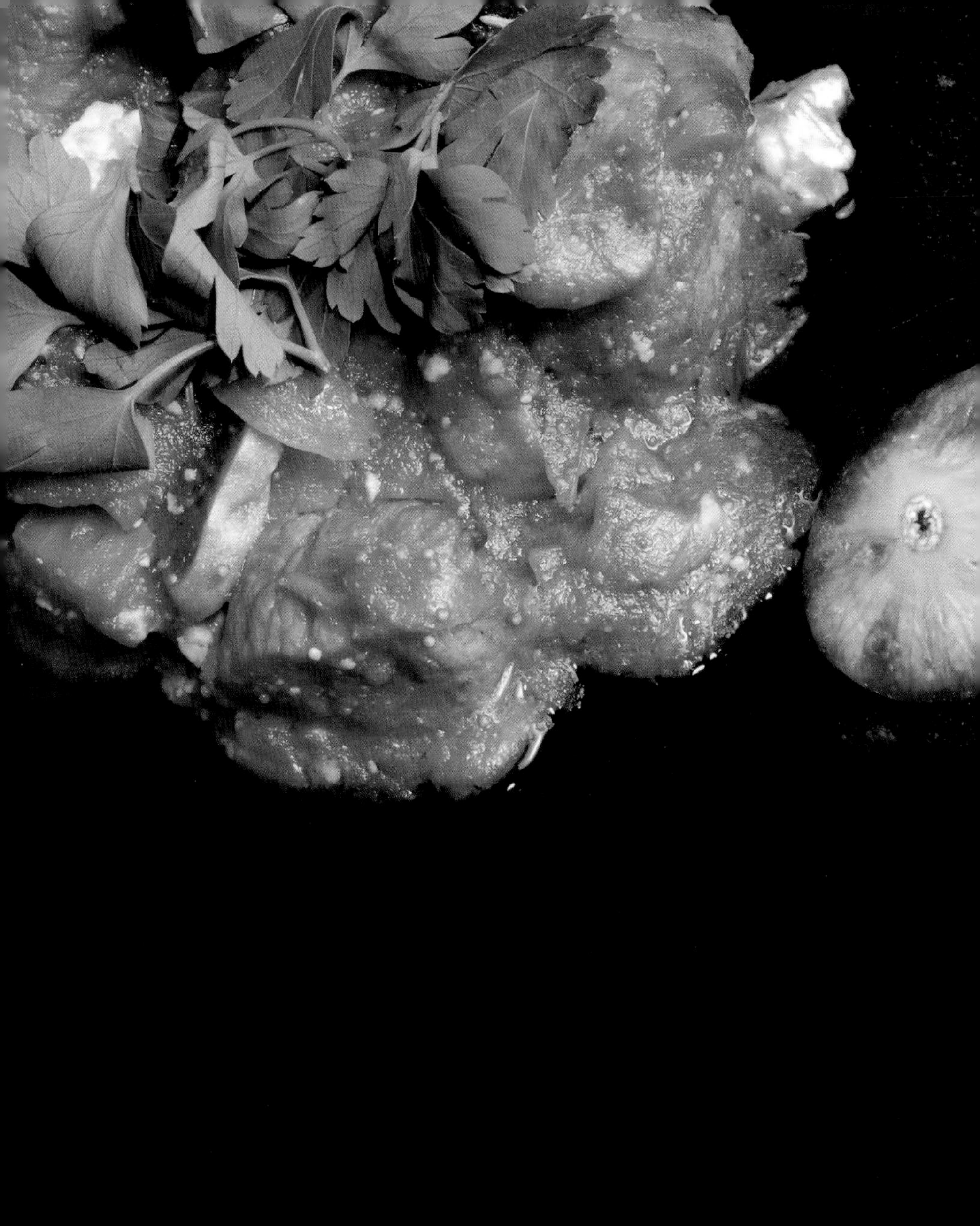

Buñuelos bañados en miel

- 250 ml de leche
- 200 g de mantequilla
- 150 g de harina
- azúcar
- 3 huevos
- miel
- canela
- sal

Ponemos a cocer la leche junto con la mantequilla en un cazo. Cuando arranque el hervor añadimos la harina, el azúcar y una pizca de sal. Removemos, sin sacar el cazo del fuego, hasta que la masa que se forma se empiece a despegarse del fondo.

Pasamos la masa a un bol y vamos incorporando los huevos uno a uno hasta conseguir la textura deseada. Introducimos la masa en una manga pastelera y vamos colocando porciones en una bandeja de horno forrada con papel sulfurizado. Horneamos los buñuelos unos 20 minutos a 150 °C.

Entretanto, calentaremos la miel, rebajada con un poco de agua. En esta miel mojaremos los buñuelos una vez horneados.

Presentamos los buñuelos en un plato decorado con unas flores y un poco de canela.

Faisana asada con frutos secos y nabos confitados

- 1 faisana
- ciruelas pasas
- piñones
- orejones
- 1 manzana verde pelada
- 1 cebolla
- laurel
- vino blanco mosto
- nabos confitados *en defritum* (mosto reducido)
- aceite de oliva
- pimienta
- sal

Limpiamos la faisana (reservando la piel), la salpimentamos bien por dentro y la rellenamos con las frutas. Cosemos la abertura con una aguja y cordel.

Doramos la faisana en una sartén por todos los lados y la asamos en una cazuela en el horno calentado a 160 °C, junto con las pieles, la cebolla cortada en juliana y unas hojas de laurel. La dejaremos 7 minutos apoyada por un costado, otros 7 minutos apoyada por el otro, 7 minutos más con la pechuga para arriba y terminaremos asándola 4 minutos con las pechugas pegadas al fondo de la cazuela.

Dejamos reposar la faisana y la trinchamos.

Con los jugos que quedan en la cazuela elaboraremos una salsa para añadir al plato.

Los nabos los torneamos o pelamos y los cocemos en el mosto hasta que queden tiernos. Los serviremos como guarnición.

Tiropatinam

- ½ litro de leche
- 150 g de miel
- 6 huevos
- pimienta molida

El tiropatinam, según la receta de Apicio, es una especie de flan de miel.

Primero hay que calentar la leche con la miel y remover para que se mezclen los dos ingredientes. Después lo dejamos templar un poco y añadimos los huevos y la pimienta, batiendo un poco.

Volcamos el contenido en una flanera y lo cocemos al baño María en el horno, tapado, a 120 °C, hasta que cuaje.

Medio asado de gallina

- 1,8 kg de gallina
- 50 g de manteca de cerdo
- 3 litros de leche de almendras
- 1 rama de canela
- 4 clavos
- 2 raíces de galanga
- pimienta en grano
- jengibre
- 50 g de tocino
- 3 hígados de gallina
- 2 tazas de agraz o vinagre
- sal
- azúcar (opcional)

Antiguamente, para hacer este plato, se ensartaba la gallina en lo que hoy llamamos «estaca» y se le iba dando vueltas sobre el fuego, untándola y engrasándola un poco con manteca, hasta que estuviera medio asada.

Dada la dificultad de usar hoy en día una «estaca» en una cocina normal, la asamos al horno en una cazuela o una fuente de barro, con la manteca de cerdo.

Una vez que la gallina está medio asada, la troceamos en pedazos regulares y volvemos a ponerla en la cazuela, sin la grasa usada para asarla, que reservamos aparte.

En otra cazuela hacemos hervir durante ½ hora a fuego moderado la leche de almendras con las especias, a fin de que tome sabor.

Seguidamente colamos la leche y la vertemos en la cazuela con la gallina. Añadimos el tocino y dejamos cocer todo lentamente. La carne de la gallina tiene una consistencia fuerte, por lo que el tiempo de cocción puede prolongarse entre 1 y 2 horas, según como sea la pieza.

Unos 10 minutos antes de terminar la cocción añadimos los hígados machacados en el mortero y diluidos con el agraz o vinagre. Agregamos un poco de sal, y azúcar si se desea, para potenciar el sabor agridulce del guiso.

Servimos la gallina en escudillas junto con el tocino cortado en trozos regulares.

Costillar de cabrito asado y lacado con miel, almendras, jengibre y agua de rosas

- 1 costillar de cabrito
- miel
- jengibre
- agua de rosas
- almendras laminadas
- ajo
- pimienta
- sal

Salpimentamos bien el costillar y lo acomodamos en una fuente en el horno.

Ponemos la miel, el jengibre y el agua de rosas en un cazo, lo salamos y lo calentamos todo junto. Mientras se asa el cabrito lo vamos untando con esta preparación, con una brocha, para que vaya quedando bien lacado.

Lo llevaremos a la mesa acompañado con unas habas fritas con ajo y cebolla.

DIRECTO DEL MAR

Pulpo asado con patata violeta

- 2 kg de pulpo
- 200 g de patatas violetas
- 1 kg de carbón
- 200 ml de aceite de girasol
- 1 cucharada de pimentón
- aceite de oliva
- shisho púrpura
- sal maldon
- pimentón

Ponemos una cazuela con abundante agua con sal en el fuego y la llevamos a ebullición. Cuando comience a hervir, introducimos el pulpo en la cazuela y lo sacamos enseguida (es lo que popularmente se llama asustar al pulpo). Repetimos la operación dos o tres veces y después dejamos cocer el pulpo del modo habitual. Pasados entre 20 y 30 minutos, lo pinchamos y, si está blando, lo retiramos del fuego. Si no, lo dejamos cocer un poco más.

Cocemos las patatas con piel en abundante agua con sal durante 15 minutos o hasta que estén tiernas. Las pelamos y las cortamos a nuestro gusto.

Preparamos un aceite de humo poniendo el carbón caliente en un cazo y agregando el aceite de girasol. Tapamos el cazo con una tapadera más grande que su diámetro para evitar que estalle. Dejamos ahumar el aceite durante 5 minutos, lo colamos y lo reservamos.

A continuación, cortamos el pulpo en rodajas y lo doramos ligeramente en una sartén con el aceite de humo y unas gotas de aceite de oliva.

Servimos las patatas con el pulpo al lado. Acompañamos con shisho púrpura y terminamos con un poco de sal maldon y pimentón.

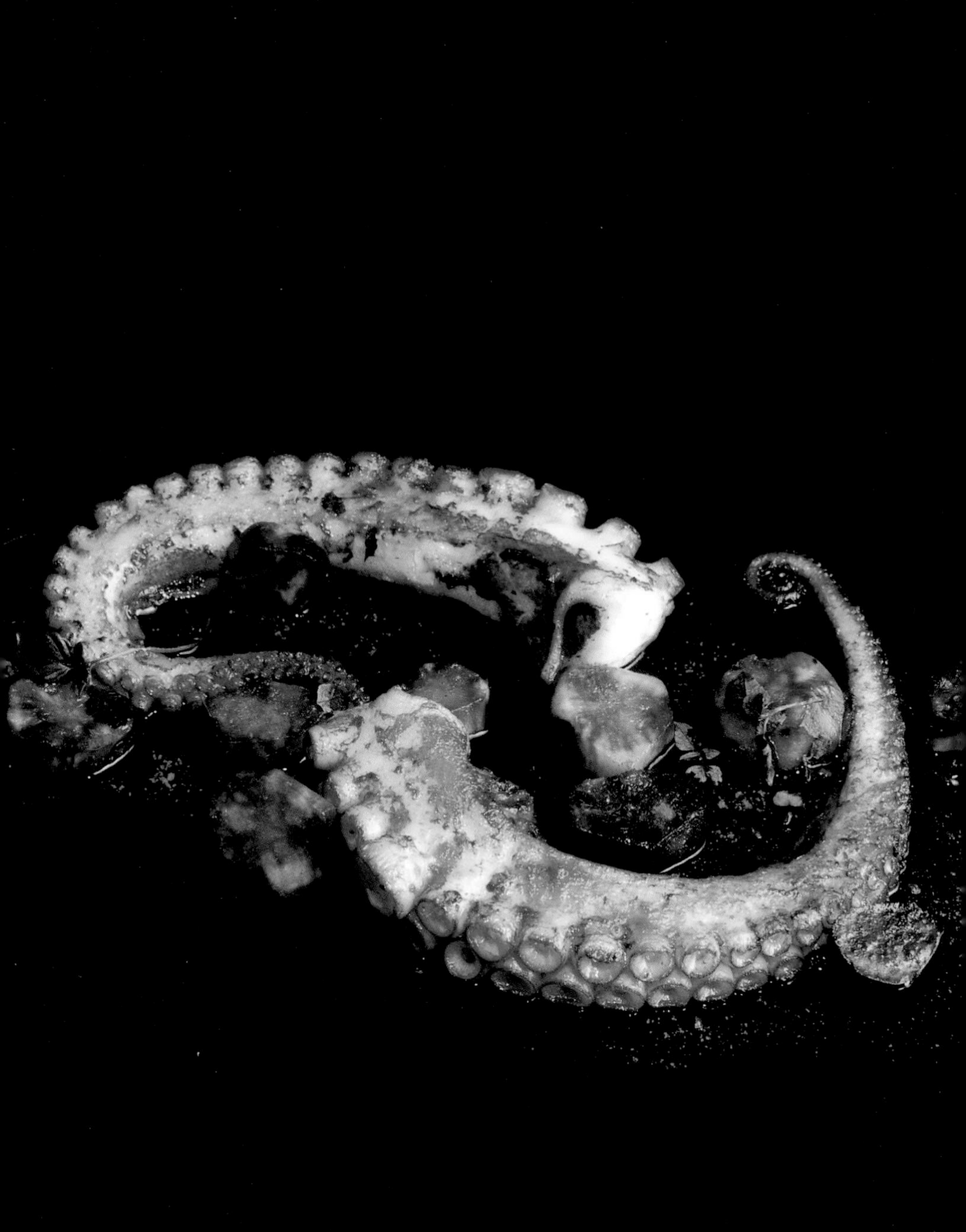

Financier con helado de miel y pistachos

- 75 g de mantequilla
- 25 g de miel
- 25 g de almendra en polvo
- 40 g de pistacho en polvo
- 50 g harina
- 4 claras de huevos
- 150 g de azúcar
- 5 g de jengibre fresco
- 100 ml de té negro
- 2 bolas de helado de miel
- 50 g de pistachos pelados
- 1 fresa
- 2 hojas de menta
- 50 g de azúcar glas
- sal

En primer lugar, preparamos un financier. Para ello, doramos la mantequilla en una sartén y le agregamos la miel.

En un bol, mezclamos la almendra en polvo, el pistacho, la harina y una pizca de sal.

A continuación, montamos las claras a punto de nieve con un poco de azúcar y las agregamos al bol. Incorporamos también la mantequilla con miel. Lo mezclamos todo bien.

Introducimos la mezcla anterior en un molde engrasado y la horneamos a 180 o 200 °C durante 15 minutos.

Mientras, rallamos el jengibre y lo hervimos con el té durante 5 minutos en agua con azúcar. Dejamos infusionar, colamos y reservamos. Para montar el plato, servimos una porción de financier y la podemos acompañar con el helado de miel, los pistachos pelados, unas rodajas de fresa y una hoja de menta. Servimos también la infusión endulzada con azúcar glas.

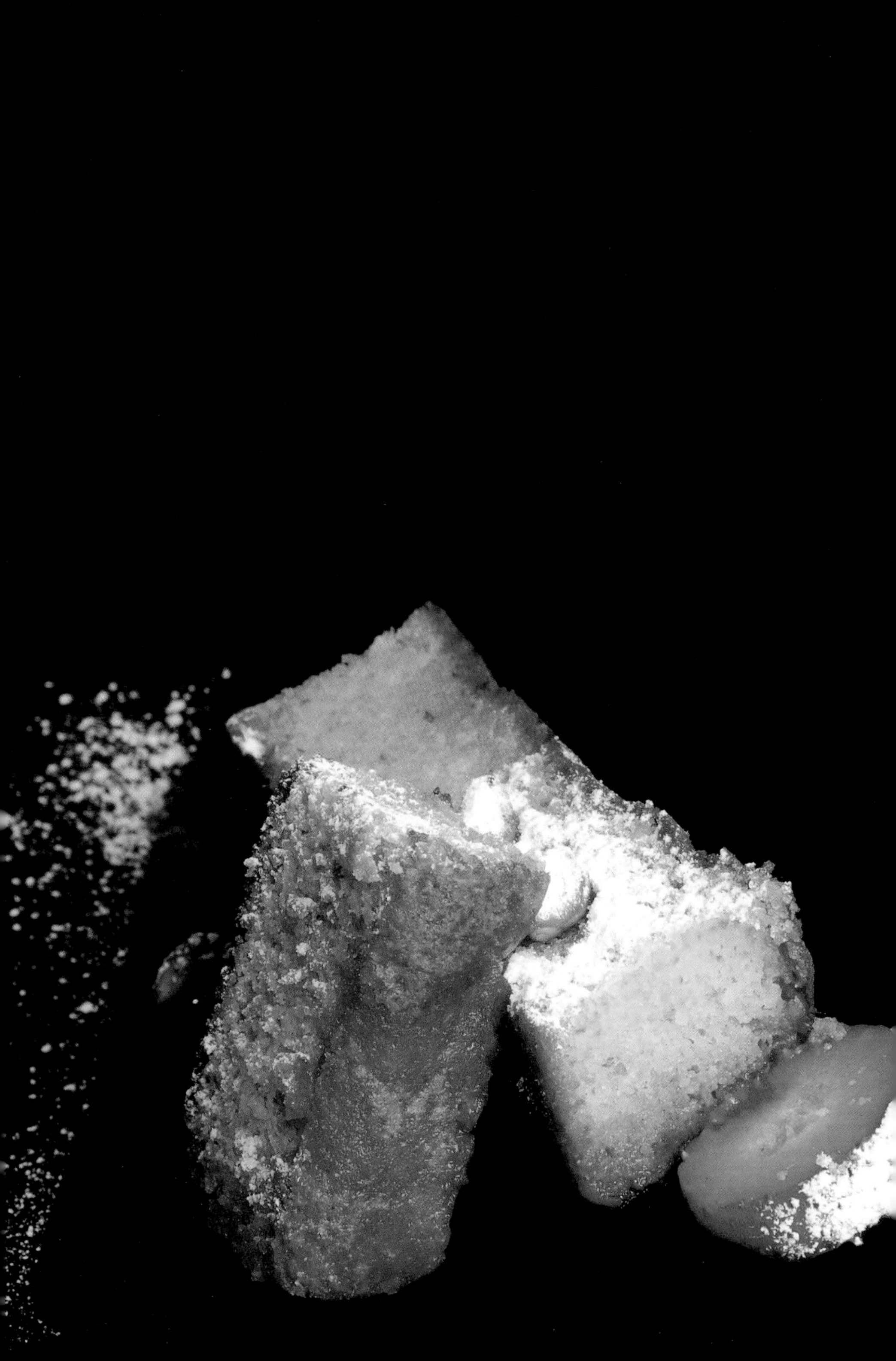

Rodaballo asado en costra de hierbaluisa con manitas de cerdo y verduras

- 1 rodaballo grande
- hierbaluisa en polvo
- 3 manitas de cerdo
- 1 cebolla
- 1 nabo
- 1 rama de apio
- 1 puerro
- 4 clavos
- 8 granos de pimienta negra
- 10 g de pimentón
- 8 hebras de azafrán
- 300 ml vino blanco
- 15 g de gelburguer
- 4 tirabeques tiernos
- 4 zanahorias tiernas
- mantequilla
- aceite de oliva
- pimienta molida
- sal

Primero cocinamos las manitas de forma tradicional. Para ello las limpiamos y blanqueamos, después las cocemos con la cebolla, el nabo, el apio, el puerro, el clavo, la pimienta, el pimentón y el azafrán durante 2 horas.

Transcurrido este tiempo, escurrimos las manitas y las deshuesamos.

En un bol ponemos el gelburguer, las manitas deshuesadas, sal, pimienta y un cazo del caldo de cocción de las manitas. Lo mezclamos bien y lo colocamos en un molde cuadrado. Guardamos el molde en la nevera hasta que la preparación se endurezca.

Limpiamos el rodaballo, le sacamos los lomos, los cortamos en porciones, los salpimentamos y los doramos en la plancha, vuelta y vuelta.

Colocamos los trozos de pescado en una bandeja de horno, con la piel hacia abajo, los espolvoreamos por encima con el polvo de hierbaluisa y los rociamos con un hilo de aceite. Los horneamos durante 4 minutos a 200 °C.

Pelamos las zanahorias y las salteamos con un poco de mantequilla en una sartén junto con los tirabeques.

Sacamos la terrina de manitas de la nevera, la desmoldamos y cortamos una loncha. Servimos en la base del plato la loncha de manitas, encima el rodaballo y a un lado las verduras.

Tarta de praliné de avellanas y chocolate

- 200 g de praliné
- 300 g de cobertura de chocolate (con un 70 % de cacao)
- 300 g de nata líquida
- vainilla
- mantequilla
- 10 almendras
- 10 avellanas
- hojas de menta

Para la masa quebrada de almendras:

- 300 g harina
- 150 g mantequilla
- 80 g de azúcar
- 1 vaina de vainilla
- 50 g de almendra en polvo
- 1 huevo
- una pizca de sal

En primer lugar confeccionamos la masa quebrada: ponemos la harina en un bol con la mantequilla fría cortada en dados; lo mezclamos con los dedos hasta que esté todo bien integrado. Después añadimos el azúcar, las semillas de la vainilla, la almendra y la sal y trabajamos la masa.

Agregamos el huevo y seguimos amasando. Si vemos que la masa está muy seca podemos añadirle un poco de agua fría. La volcamos sobre la tabla y terminamos de integrar los ingredientes.

Hacemos una bola con la masa y la dejamos reposar envuelta en film transparente durante 2 horas en la nevera.

Mientras, calentamos la nata con la vainilla. En el momento en que comience a hervir la colamos y la agregamos al bol donde hemos puesto el chocolate troceado.

Mezclamos bien la nata con el chocolate hasta que este se derrita e incorporamos el praliné. Añadimos la mantequilla, removemos y reservamos la crema.

Transcurridas 2 horas, sacamos la masa de la nevera y la estiramos. Forramos un molde con la masa y la horneamos 20 minutos a 180 °C.

Pasado este tiempo, sacamos la tarta del horno y la dejamos enfriar. Una vez fría, la rellenamos con la crema de chocolate con praliné y la decoramos con las avellanas, las almendras y unas hojas de menta.

Salmonete con algas, setas, butifarra y caldo de escudella

- 300 g de salmonete
- 1 butifarra blanca
- 70 g de setas congeladas
- 20 g de alga wakame
- 20 g de alga dulse
- aceite de oliva

Para la escudella:

- 1 cebolla
- 1 zanahoria
- 1 rama de apio
- 100 g de tocino
- 1 butifarra blanca
- 1 butifarra negra
- ½ repollo
- ½ gallina
- 1 rabo de cerdo
- 2 nabos
- 200 g de morcillo
- sal

Comenzamos preparando el caldo de la escudella, el cocido típico de Cataluña, de modo que cocemos la cebolla, la zanahoria, el apio, el tocino, las butifarras, el repollo, la gallina, el rabo, los nabos y el morcillo en una olla grande con agua durante 2 horas.

Aparte, cocemos la otra butifarra blanca durante 5 minutos, la dejamos enfriar, la pelamos y la cortamos en daditos.

Mientras, separamos los lomos del salmonete, los cuadramos y los reservamos.

En cuanto tengamos la escudella preparada, salteamos las setas partidas por la mitad en una sartén con aceite. Cuando esté listo el salteado incorporamos las algas remojadas y les damos unas vueltas.

Incorporamos la butifarra blanca cocida a la sartén de las setas.

En una plancha doramos el lomo de salmonete.

Finalmente, servimos en un plato una cama de salteado de setas con butifarra, ponemos encima el salmonete y lo decoramos con las algas. Acompañamos con el caldo de escudella.

Sopa fría de fresones con crème fraîche y crumble

- 400 g de fresones
- 100 g de azúcar
- 1 limón
- 10 ml de vinagre de manzana
- 1 vaina de vainilla burbon
- 250 g de crème fraîche

Para el crumble:

- 200 g de harina
- 100 g de mantequilla
- 80 g de azúcar
- 50 g de almendra en polvo
- 20 g de té matcha
- 1 huevo
- 100 ml de agua
- una pizca de sal

Cortamos los fresones y los ponemos a macerar con el azúcar, las semillas de la vainilla, el zumo del limón y el vinagre de manzana en el frigorífico durante 30 minutos aproximadamente.

Cuando haya pasado este tiempo, reservamos 3 fresones y trituramos el resto con un poco de agua para que no quede un puré demasiado espeso.

Por otro lado, ponemos la harina en un bol con la mantequilla fría cortada en dados. Las mezclamos con los dedos hasta que estén bien integradas.

Añadimos al bol el azúcar, la almendra, el té y una pizca de sal, y amasamos para incorporarlos.

Agregamos el huevo y amasamos. Si la masa quedase muy seca, le añadiremos un par de cucharadas de agua fría. Pasamos la masa a la encimera o una tabla y terminamos de integrar los ingredientes.

Hacemos una bola con la masa y, encima de una superficie enharinada, la estiramos con el rodillo hasta que quede bien fina.

La horneamos a 200 °C durante 15 minutos. Después la dejamos enfriar y la rompemos en trozos.

Para terminar el postre, servimos la sopa de fresones y la decoramos con una cucharada de crème fraîche, los fresones enteros, la vaina de vainilla y unos trocitos de crumble de té.

Ostras marinadas con velo de alga dulse, carpaccio de tocino e infusión de tierra

- 4 ostras
- 4 láminas de tocino ibérico muy finas
- 10 g de germinados de anís dulce (atsina)
- 100 g de boletus
- 10 guisantes frescos, desgranados
- 1 endibia
- aceite de oliva

Para el velo:

- 3 g de alga dulse
- 3 g de agaragar en polvo
- 100 ml de agua

Primero lavamos la endibia y la cortamos en juliana. La reservamos en la nevera en un bol con agua fría y unas gotas de limón para que no se oxide.

Abrimos las ostras con cuidado con ayuda de un trapo y un cuchillo de abrir ostras. Vertemos el agua de las ostras en el cazo donde infusionaremos las algas.

Introducimos el alga dulse en el cazo con el agua de las ostras e incorporamos los 100 ml de agua. Ponemos el cazo al fuego y dejamos infusionar el alga durante 5 minutos, lo colamos y reservamos el caldo por un lado y las algas por otro.

A continuación llevamos el agua reservada a ebullición en un cazo. Cuando hierva, disolvemos el agaragar en ella. Vertemos la mezcla en una fuente y la guardamos en la nevera para conseguir, cuando se solidifique, una fina capa de gelatina.

Cocemos en una cazuela con agua salada los guisantes hasta que estén tiernos, entre 7 y 10 minutos.

Seguidamente, colocamos los boletus cortados en trozos en una fuente para horno y los horneamos a 200 °C durante unos 15 minutos.

Mientras, ponemos a hervir un cazo con agua. Cuando los boletus estén listos, los sacamos del horno y vertemos sobre ellos el agua hirviendo para que se infusionen. El agua debe cubrir el fondo del recipiente pero no los hongos por completo.

Colamos el líquido en otro cazo con un colador cubierto con un paño de algodón para conseguir un caldo claro. Reservamos el caldo y los hongos los aprovechamos en otra receta.

Separamos las ostras de la concha y las pasamos por la sartén, muy caliente, con una gota de aceite. Las ostras solo deben cocinarse vuelta y vuelta.

Escurrimos la endibia y la mezclamos con los guisantes.

Por último, disponemos en el plato de servir las láminas de tocino, colocamos las ostras encima y las cubrimos con un poco de gelatina de algas encima. Servimos a un lado la ensalada de endibias adornada con unos germinados. Regamos la ensalada con un chorrito de aceite y la infusión de boletus y llevamos el plato a la mesa.

Financier con infusión de moscatel y canela

- 200 g de sorbete de mandarina
- 200 ml de moscatel
- 2 ramas de canela
- 100 ml de nata para montar
- 20 g de azúcar
- 1 ramillete de hojas de menta

Para la masa:

- 50 g de almendras en polvo
- 50 g de harina
- 75 g de mantequilla
- 150 g de azúcar
- jengibre
- 25 g de miel
- 4 claras de huevo
- sal

Infusionamos el moscatel con los palitos de canela durante 5 minutos en un cazo al fuego. Después lo dejamos reposar y enfriar.

Ponemos a derretir la mantequilla en un cazo, cuando esté líquida agregamos la miel y dejamos que se caramelice. Incorporamos el jengibre rallado y dejamos infusionar mientras preparamos el resto de los ingredientes.

En un bol mezclamos la almendra en polvo con la harina y el azúcar. En otro bol montamos las claras a punto de nieve con una cucharada de azúcar; no es necesario que queden muy duras.

Mezclamos los ingredientes secos, es decir la harina, las almendras y el azúcar con la mantequilla y una pizca de sal. Cuando tengamos todo bien integrado montamos las claras en dos tiempos y las incorporamos con cuidado a la masa realizando movimientos de abajo arriba para que no se bajen.

Cubrimos el molde con un poco de azúcar en lugar de harina para que la masa quede crujiente por fuera. Horneamos el financier a 200 °C durante 15 minutos. Dejamos enfriar y desmoldamos. Cortamos 4 rebanadas y las reservamos. Montamos la nata con el azúcar.

Para terminar, ponemos dos rebanadas de financier en sendos platos hondos y repartimos la nata cremosa en el centro de las rebanadas. La cubrimos con las otras rebanadas de financier. Coronamos cada una con una quenelle de sorbete de mandarina y una hojita de menta. Regamos el fondo de los platos con la infusión de moscatel y canela.

Moluscos en lecho marino

- 3 navajas
- 3 almejas
- 3 mejillones
- 3 berberechos
- 50 g de salicornia (espárrago de mar)
- 100 g de tirabeques
- 1 cucharada de aceite de oliva
- 1 cucharada de aceite de cacahuete
- 200 ml de fondo de pescado
- 50 g de yemas de erizo crudas

Primero haremos una infusión con el fondo de pescado y las yemas de erizo crudas, reservando tres de ellas para decorar el plato. Para ello cocemos las yemas durante 5 minutos en el fondo y las reservamos.

Coceremos los moluscos en agua hirviendo con sal hasta que se abran. A continuación, los sacaremos de la concha. Primero meteremos los mejillones, que son los que más tardan en abrirse; luego los berberechos, y por último, las almejas y las navajas. En cuanto todos se abran, los sacaremos del agua y los reservaremos.

En un cazo damos un hervor de 2 minutos a la salicornia y los tirabeques. Los sacamos inmediatamente del agua y los metemos un minuto en un bol con agua y hielo para fijar la clorofila. Después los salteamos unos segundos en una sartén con el aceite de oliva y el aceite de cacahuete.

En la sartén donde hemos salteado las verduras damos unas vueltas a los moluscos cocidos.

Servimos en un plato alargado una cama de tirabeques y salicornia, los moluscos y las 3 yemas crudas de erizo que habíamos reservado. Para terminar, regamos el plato con un chorrito de la infusión del fondo y erizo.

Contrastes con chocolate

- 100 g de helado de cacao
- 2 galletas de chocolate machacadas
- 100 g de mermelada de fruta de la pasión
- 4 frambuesas
- 1 fresón
- hojas de menta
- semillas de cacao para decorar

Para la sopa:
- 100 g de cobertura de chocolate blanco
- 100 g de nata líquida
- 1 vaina de vainilla

Para la mousse:
- 250 g de chocolate con un 70 % de cacao
- 100 ml de nata líquida para montar
- 100 g de azúcar
- 100 g de mantequilla en pomada
- 4 huevos

Para el coulant:
- 100 g de mantequilla
- 95 g de chocolate con un 70 % de cacao
- 50 g de harina
- 100 g de azúcar
- 3 huevos

Fundimos el chocolate al baño María. Lo dejamos templar introduciendo el bol en otro recipiente con agua fría. Removemos para uniformizar la temperatura.

A continuación, separamos las yemas de las claras. En un bol, mezclamos las yemas con la mitad del azúcar, y las vertemos sobre el chocolate. Incorporamos la mantequilla en pomada y mezclamos con ayuda de una espátula.

Por otro lado, montamos las claras con el resto del azúcar, que añadiremos poco a poco. Después trabajaremos la nata hasta semimontarla y la integramos al chocolate con ayuda de la espátula. Incorporamos las claras montadas al chocolate y guardamos la mousse en el frigorífico.

Para preparar la sopa de chocolate ponemos a calentar la nata en un cazo al fuego. Rascamos la vaina de vainilla e incorporamos las semillas a la nata. Las dejamos infusionar 5 minutos y vertemos la nata en el bol donde tenemos el chocolate blanco troceado. Dejamos que se funda y lo mezclamos bien. Lo reservamos en el frigorífico.

Para el bizcocho de coulant, derretimos el chocolate con la mantequilla al baño María y lo dejamos templar.

En un bol, batimos los huevos y los agregamos al chocolate. Removemos bien y añadimos el azúcar. Cuando el azúcar esté bien integrado vamos incorporando la harina tamizada, que mezclaremos de abajo arriba.

Untamos los moldes para coulant con mantequilla y los espolvoreamos con un poco de harina. Rellenamos con la masa del coulant y los horneamos a entre 180 y 200°C unos 10 o 15 minutos. Los pastelillos deben quedar líquidos por dentro.

Por último, montamos el plato: espolvoreamos con semillas de cacao encima de una quenelle de mousse de chocolate. Colocamos un montoncito de crujiente de galleta de chocolate y una línea de mermelada de fruta de la pasión. Sobre el crujiente de galleta ponemos una quenelle de helado de chocolate. Cortamos una fresa en rodajas y la colocamos junto a las frambuesas en el plato. Decoramos con unas hojitas de menta. Terminamos vertiendo en el fondo del plato la sopa fría de chocolate blanco.

Langosta a la americana, parecida pero diferente

- 400 g de langosta (solo la cola)
- 200 g de escarola frisé
- brotes de nabo
- 1 guindilla verde fresca
- 6 almendras
- 1 lima
- aceite de oliva arbequina
- pimienta negra
- sal maldon

Para la salsa americana:

- 1 cabeza de langosta
- 2 rebanadas de pan frito
- 3 dientes de ajo
- 100 g de almendras crudas
- 1 cebolla
- 1 pimiento rojo
- 1 guindilla
- 300 ml de fondo de pescado
- 200 ml de vino blanco
- 10 ml de brandy de Jerez
- 10 ml de fino
- 1 cucharadita de pimentón
- 8 hebras de azafrán
- pimienta blanca
- aceite de oliva
- sal

Limpiar la cola de la langosta, pelarla (reservando el caparazón) y envolver la mitad en film transparente. La congelamos hasta que esté dura.

Primero elaboramos la salsa americana, utilizamos una bandeja apta para el horno y colocamos el pan frito y, encima, la cabeza de la langosta, 2 dientes de ajo, las almendras, un poquito de pimentón y 4 hebras de azafrán. Lo regamos todo con un chorro de aceite y lo metemos en el horno.

Mientras, en una sartén con un chorrito de aceite, sofreímos la cebolla, el ajo restante y el pimiento rojo picados. Añadimos la sal, el resto del azafrán y la pimienta blanca, damos unas vueltas y agregamos la guindilla en rodajas. Cuando comience a sofreír añadimos los vinos y los dejamos reducir.

En el momento en que la cabeza de la langosta esté dorada y el sofrito listo procedemos a terminar la salsa. Colocamos la cabeza junto con el resto de los ingredientes horneados y el sofrito en un vaso alto. Añadimos el fondo de pescado (la cantidad depende del espesor que queramos darle a la salsa) y lo trituramos todo con la ayuda de una batidora eléctrica. Pasamos la salsa por un colador fino o chino.

Cuando tengamos lista la salsa la ponemos en un cazo al fuego para que se reduzca un poco.

Sacamos la media cola de langosta del congelador y la cortamos en láminas finas para elaborar el carpaccio. Las colocamos en el plato de servir. La otra mitad de la cola de la langosta, que no hemos congelado, la cortamos en dados y la salpimentamos. La salteamos en una sartén con unas gotas de aceite y la reservamos.

Preparamos una ensalada con unas rodajitas de guindilla y las 6 almendras. Las mezclamos con las hojas de escarola y los brotes de nabo, y lo aderezamos con unas gotas de zumo de lima, aceite y sal.

Disponemos en el mismo plato, junto al carpaccio, el caparazón de la cola de la langosta y, dentro, la langosta salteada. A un lado servimos la salsa americana y unos montoncitos de pimentón y pimienta blanca. Lo decoramos con un trozo de guindilla y terminamos el plato colocando la ensalada encima del carpaccio.

Crema de canela, frutos rojos, merengue italiano y dulce de leche

Para la crema:
- 5 yemas de huevo
- 100 g de azúcar
- 50 g de nata líquida
- 1 vaina de vainilla
- 1 rama de canela
- 25 g de maicena
- 25 g de harina
- 50 g de mantequilla
- 1 fresón para decorar

Para la gelatina de frutos rojos:
- 100 g de coulis de frutos rojos
- 2 hojas de gelatina

Para el merengue italiano:
- 250 g de azúcar
- 125 g de agua
- 4 claras de huevo

Para el dulce de leche:
- 150 g de azúcar
- 200 ml de nata líquida
- agua

Para preparar la gelatina de frutos rojos. Ponemos a hidratar las hojas de gelatina en agua durante 5 o 10 minutos. Mientras, calentamos el coulis en un cazo. Retiramos el cazo del fuego, agregamos las hojas de gelatina bien escurridas y las disolvemos, removiendo.

Colocamos tres cucharadas de gelatina de frutos rojos en las copas de servir y las dejamos enfriar en el frigorífico para que se solidifique la gelatina.

Para el merengue italiano, calentamos 175 g de azúcar con el agua a 122 °C para preparar un almíbar. Después montamos las claras con el resto del azúcar, es decir, 75 gramos. Cuando estén listas vamos vertiendo el almíbar en forma de hilo en las claras sin dejar de batir. Debemos conseguir un merengue duro, que reservaremos en el frigorífico hasta el momento de utilizarlo. Por otro lado, preparamos el dulce de leche: calentamos el azúcar con el agua hasta obtener un caramelo, añadimos la nata caliente, removemos hasta que se mezcle bien y lo dejamos reducir en el fuego unos minutos.

Para preparar la crema, calentamos la nata con la canela y la vainilla y la dejamos infusionar durante 5 minutos. Luego la colamos y la reservamos.

Seguidamente, juntamos las yemas con el azúcar y batimos bien. Añadimos la maicena y la harina y las mezclamos. Agregamos la nata infusionada a las yemas, removemos y cocemos la preparación al baño María durante 5 minutos a fuego lento sin dejar de remover. Añadimos la mantequilla y la integramos. La crema estará lista cuando adquiera la textura de unas natillas algo espesas.

Para terminar sacamos las copas de la nevera, colocamos una cucharada de merengue en cada una, vertemos la crema y la rociamos con unos hilos de dulce de leche. Lo cubrimos todo de merengue y colocamos una fresa en cada copa. Con ayuda de un soplete gratinamos la superficie del merengue.

¿CARNE O AVES?

Albóndigas de ternera y butifarra con gambas y salsa de sepia

- 4 gambas arroceras
- germinados de albahaca
- sal gorda

Para las albóndigas:
- 200 g de carne picada de ternera
- 100 g de carne picada de butifarra fresca
- 20 g de miga de pan
- 100 ml de leche
- ½ cebolleta pochada
- 1 huevo
- aceite de oliva
- harina para enharinar
- pimienta recién molida
- sal

Salsa de las albóndigas:
- 1 cebolleta
- ½ pimiento rojo
- 1 diente de ajo
- 50 g de sepia
- 150 g de cabezas de gambas
- 8 hebras de azafrán
- 1 cucharadita de pimentón
- 100 ml de vino blanco
- 100 ml de fino
- 150 ml de fondo de pescado
- aceite de oliva
- sal

Para la picada:
- 6 avellanas tostadas
- ½ rebanada de pan frito
- una pizca de pimentón
- 1 diente de ajo

Para preparar la salsa. Picamos la cebolleta, el pimiento y el ajo. En una sartén con aceite sofreímos los ingredientes picados junto con el azafrán, el pimentón y una pizca de sal. Lo dejamos pochar.

Cuando el sofrito esté listo añadimos las cabezas de las gambas y las machacamos para que salgan los jugos. Las cocinamos entre 6 y 8 minutos. Las regamos con el vino blanco y el fino y los dejamos reducir. Agregamos el fondo de pescado y lo hacemos hervir para que se evapore y se concentren los sabores.

Cuando la salsa esté lista la pasamos por la batidora eléctrica y la colamos con un colador fino. La devolvemos a la sartén, le damos un hervor y la reservamos.

Ponemos a remojar la miga de pan en la leche. Mientras, preparamos las albóndigas. En un bol colocamos la carne picada junto con la butifarra. Salpimentamos. Agregamos la cebolla pochada, la miga de pan remojada en leche y el huevo batido. Con ayuda de una cuchara mezclamos bien todos los ingredientes.

Formamos unas albóndigas pequeñas y las enharinamos.

Freímos las albóndigas en aceite de oliva y las reservamos.

Preparamos la picada para decorar el plato machacando en el mortero las avellanas, el pan frito untado con el ajo y un poquito de pimentón.

Colocamos las gambas enteras en una cama de sal y las horneamos 2 minutos a 200 °C. Las sacamos del horno y separamos las cabezas para sacarles el jugo, que añadiremos a la picada. Reservamos las colas peladas.

Cortamos la sepia en daditos, la agregamos a la salsa reservada y añadimos también las albóndigas. Lo cocemos todo durante 5 minutos.

Emplatamos las albóndigas con la salsa, la picada por encima y las colas de gamba. Decoramos el plato con los germinados de albahaca.

Versión de sex on the beach

- 100 g de arándanos
- 50 g de azúcar
- 100 g de sorbete de melocotón
- 300 ml de licor de melocotón
- 2 naranjas en zumo
- 1 lima en zumo
- 1 pomelo rosa
- 2 g de agaragar
- 2 g de xantana
- agua
- hojas de menta para decorar
- ralladura de lima para decorar

Primero preparamos un coulis de arándanos. Reservamos 10 arándanos para decorar, que meteremos en el congelador. El resto los ponemos junto con el azúcar y el agua a cocer durante 15 minutos. Cuando esté listo lo trituramos y colamos.

Por otro lado, ponemos a calentar los zumos de naranja y lima, y añadimos 50 ml de licor de melocotón. Lo dejamos reducir a la mitad y lo congelamos durante 3 horas en una bandeja.

Preparamos un gel de melocotón poniendo en el vaso de la batidora el licor de melocotón con la xantana y batiéndolo. Reservamos.

Después separamos los gajos del pomelo y los pelamos con ayuda de un cuchillo.

Para servir ponemos en una copa el gel de licor de melocotón en el fondo. Encima colocamos unos trozos de pomelo. Los cubrimos con dos cucharadas de coulis de arándanos. Colocamos otra capa de gel.

Con ayuda de un tenedor raspamos el zumo de naranja congelado para obtener un escarchado, que ponemos sobre el resto de los ingredientes de la copa. Terminamos con unas gotas de coulis, una cucharadita de gel, unos trocitos de pomelo y una quenelle de sorbete de melocotón. Decoramos con unas hojitas de menta, unos arándanos congelados y la ralladura de la lima.

Lomo de buey en inspiración primitiva

- 300 g de lomo de buey limpio
- 50 g de germinados variados
- 2 rabanitos

Para la salsa francesa:
- 1 cucharada de mostaza de Dijon
- 1 yema de huevo
- 10 g de alcaparras
- 10 g de cebolleta
- un toque de salsa Perrins
- un toque de tabasco
- aceite de oliva
- pimienta negra
- sal

Para las verduritas glaseadas:
- 3 zanahorias baby
- aceite de oliva
- sal

Para el chutney:
- 250 g de pimientos del piquillo
- ½ cebolleta
- 2 tomates en rama pelados
- 100 ml zumo de naranja
- 3 g de jengibre
- 5 g de pasas
- ½ rama de canela
- 10 ml vinagre de manzana
- sal

Para la salsa de carne:
- 50 g de morcillo
- ½ cebolla
- ½ zanahoria
- ½ rama de apio
- 150 g de recortes del lomo de buey
- 100 ml de vino tinto
- pimienta negra
- 1 ramillete de hierbas

Primero prepararemos el chutney; para ello ponemos en un cazo los pimientos del piquillo, la cebolleta y los tomates (sin semillas) picados con el jengibre, las pasas, la canela, el vinagre de manzana, azúcar y el zumo de naranja. Hervimos todo a fuego lento hasta que se forme una pasta.

En una sartén colocamos las zanahorias baby peladas con un poco de agua y un chorrito de aceite. Les damos un hervor corto para que queden crujientes y las escurrimos y reservamos.

Cortamos el lomo de buey en dos. Uno de los trozos debe ser un taco perfecto para luego marcarlo en la sartén.

Picamos el resto de la carne con un cuchillo para hacer el steak tartar. Con tres pasadas de cuchillo la carne estará suficientemente picada, pero si se desea más picada la pasaremos más veces.

Preparamos la salsa francesa para el steak tartar; en un bol colocamos la yema, la mostaza y un chorro de aceite de oliva y lo ligamos. Cuando los ingredientes estén integrados añadimos unas gotas de salsa Perrins, unas gotas de Tabasco, la cebolleta picada, las alcaparras, la pimienta recién molida y una pizca de sal. Mezclamos bien y añadimos la salsa preparada a la carne picada. Colocamos el bol de la carne sobre otro que hemos llenado de cubitos de hielo para que la carne esté fresca a la hora de servirla.

En una sartén caliente marcamos por los cuatro lados el lomo de buey, que habremos untado previamente con aceite de oliva.

Para montar el plato rellenamos un molde con el steak tartar, decoramos la base del plato con la salsa de carne y colocamos de manera armoniosa el rabanito y las zanahorias. Cortamos cinco trozos del lomo de buey y los disponemos sobre la salsa de carne. Hacemos una quenelle con el chutney y retiramos el molde del steak tartar. Terminamos con unos germinados.

Frío invierno con mousse de violeta y haba tonka

- 4 flores de violeta frescas
- 100 g de cobertura de chocolate negro

Para el toffee:
- 200 ml de nata líquida
- 150 g de azúcar
- haba tonka

Para la mousse de violetas:
- 200 ml de nata para montar
- 3 claras de huevo
- 3 hojas de gelatina
- 80 g de azúcar
- 1 chorrito de esencia de violeta
- 4 caramelos de violeta triturados
- Semillas de haba tonka

Derretimos la cobertura de chocolate y vertemos unos hilos de chocolate fundido sobre un film transparente. Los dejamos enfriar en el frigorífico para que se endurezcan.

A continuación, ponemos dos cazos en el fuego y en cada uno de ellos 200 ml de nata.

En uno, rallamos un poquito de haba tonka. Lo dejamos infusionar 5 minutos, lo colamos, le añadimos la esencia de violeta y lo reservamos en el frigorífico.

En el otro cazo infusionamos otro poquito de haba tonka rallada con la nata durante 5 minutos.

Por otro lado, derretimos el azúcar hasta formar un caramelo y añadimos la nata caliente infusionada con el haba tonka. Lo dejamos reducir a fuego medio hasta que adquiera la textura de un toffee. Lo reservamos hasta el momento de servir para que no pierda temperatura.

Para hacer la mousse de violetas montamos las claras a punto de nieve. Comenzamos batiéndolas con un poco de azúcar y cuando estén prácticamente montadas añadimos el resto del azúcar.

Hidratamos las hojas de gelatina durante unos minutos y las colocamos en un cazo con un poquito de agua en un fuego muy bajo para que se

fundan. Las retiramos del fuego y las dejamos enfriar a temperatura ambiente.

Semimontamos la nata infusionada que hemos reservado en el frigorífico hasta conseguir una textura cremosa. Añadimos los caramelos de violeta triturados y la gelatina líquida. Lo mezclamos bien.

Vamos incorporando, poco a poco, las claras montadas a la mezcla anterior. Dejamos enfriar la mousse en el frigorífico.

Servimos en el fondo de un plato una base de toffee y encima la mousse de violeta. Adornamos con polvo de violeta y las flores. Coronamos con los hilos de chocolate pinchados en la mousse.

MENÚ 14 Montería de seducción

Carré de cierva joven

- 300 g de carré de cierva joven con corte francés
- 2 ramas de romero
- 2 ramas de tomillo
- 100 g de mantequilla
- 3 remolachas baby
- 50 g de tirabeques
- 4 zanahorias baby

Para el chutney:

- 3 manzanas verdes
- 2 tomates en rama
- 100 ml zumo de naranja
- 3 g de jengibre
- 5 g de pasas
- 10 ml de vinagre de manzana
- ¼ de cebolleta
- 1 toque de canela
- pimienta negra
- sal

Para la salsa:

- 50 g de morcillo
- 150 g de recortes del lomo
- ½ cebolla,
- ½ zanahoria
- ½ rama apio
- 1 ramillete de hierbas (o bouquet garni)
- 1 chorro de brandy
- 100 ml de vino tinto
- pimienta negra
- 10 bayas de enebro

Para preparar la salsa, ponemos un cazo al fuego con un poco de aceite, doramos las carnes troceadas y las mojamos con el brandy. Cuando esté reducido añadimos las verduras picadas y el bouquet garni. Añadimos un chorro de aceite, las especias y el vino tinto. Lo dejamos reducir, cubrimos la carne con agua y la dejamos cocer a fuego lento durante 2 horas, con el cazo destapado. Colamos la salsa y la reservamos.

Para preparar el chutney, colocamos una cazuela al fuego, en ella metemos la manzana pelada y troceada; el tomate picado, sin piel ni pepitas; y el vinagre de manzana. Añadimos a la cazuela el azúcar, la sal, las pasas, la canela y un trozo de jengibre pelado, que luego retiraremos. Regamos con el zumo de naranja y cocemos a fuego lento durante 30 minutos, con la cazuela destapada.

Salpimentamos el carré de cierva. En una sartén caliente con un poco de mantequilla y aceite lo sellamos por todos los lados. Cuando esté listo lo retiramos y lo colocamos sobre una tabla con la parte de las costillas hacia abajo. Con ayuda de un cuchillo separamos la carne del hueso por la parte de arriba e introducimos en el corte unos trocitos de mantequilla, el romero y el tomillo.

Disponemos la pieza en un recipiente apto para el horno y lo horneamos durante 15 minutos a 200 °C. Lo sacamos del horno y lo cubrimos con papel de plata para evitar que se salgan los jugos.

Para preparar la guarnición, pelamos las remolachas y las cocemos en agua durante 20 minutos. Las reservamos.

Pelamos las zanahorias y las salteamos en un wok bien caliente junto con los tirabeques y la cebolleta cortada en juliana. Les damos unas vueltas hasta que los ingredientes estén dorados pero crujientes.

En el momento de servir retiramos las hierbas aromáticas del carré, lo separamos del hueso y cortamos el lomo en filetes gruesos.

En el plato de presentación disponemos las remolachas baby, la zanahorias cortadas por la mitad, los tirabeques y la cebolleta. Colocamos los filetes de carré y los regamos con la salsa. Con ayuda de una cuchara terminamos el plato con un montoncito de chutney.

Plátano y cacahuete, dulce seducción

- 2 plátanos de Canarias
- 100 g de crema de cacahuete
- 50 g de azúcar mascabado
- 20 ml de ron de caña
- 20 g de mantequilla
- 3 ml de aceite de avellana

Para la masa quebrada:

- 100 g mantequilla
- 200 g de harina
- 50 g de azúcar
- 3 g de levadura química
- 1 huevo
- 1 vaina de vainilla
- sal

Para decorar:

- 100 g de helado de mango
- 8 hojas de hierbabuena

Pelamos los plátanos y los cortamos en rodajas.

En una sartén ponemos a fundir la mantequilla hasta que quede dorada pero sin quemarse, rehogamos el plátano y lo regamos con el ron. Añadimos el azúcar mascabado y el aceite de avellana. Lo cocinamos a fuego lento para que se caramelice y lo reservamos. Para elaborar la masa quebrada ponemos en un bol la harina con la mantequilla y las mezclamos con las puntas de los dedos. Añadimos el azúcar y la levadura y continuamos mezclando.

Abrimos la vaina de vainilla para sacar las simientes, que añadimos a la masa quebrada. Reservamos la vaina para decorar. Agregamos una pizca de sal.

Por último, agregamos el huevo y continuamos mezclando con las manos. En algunos casos podemos necesitar añadir un poco de agua para conseguir la consistencia de una masa.

Dejamos reposar la masa quebrada en el frigorífico durante una hora.

Estiramos la masa hasta conseguir una lámina de 1 centímetro y medio de grosor, la colocamos en la bandeja de horno cubierta con papel de hornear y la metemos en el horno a 180 °C durante 15 minutos. La dejamos enfriar y la picamos con ayuda de un cuchillo.

Dividimos el plátano caramelizado en dos partes. Una la dejamos en la sartén y le agregamos la nata, le damos unas vueltas y la vertemos en el vaso de la batidora. Lo trituramos hasta obtener una pasta.

En una copa colocamos un fondo de crema de plátano, encima, el plátano caramelizado, y lo rociamos con una cucharada de pasta de cacahuete. Terminamos la copa con la galleta de masa quebrada y una bola de helado de mango. Adornamos con unas hojas de menta y la vaina de vainilla.

Pichón de Bresse con arroz

- 1 pichón de Bresse
- 1 pomelo rosa
- 100 g de germinados variados

Para el arroz:

- 350 ml de caldo de ave
- 150 g de arroz arborio
- 20 g de queso curado rallado
- 1 chalota picada
- ½ litro de vino tinto
- ½ litro de fino
- 100 g de mantequilla
- pimienta negra
- sal

Para la compota de calabaza:

- 100 g de calabaza
- 100 g de mantequilla
- 100 g de azúcar

Pochamos la chalota con un poco de aceite y mantequilla. Salamos y dejamos, sin que se dore y añadimos el vino tinto y el fino.

Cocemos el arroz en agua durante 12 minutos.

Añadimos el arroz precocido al cazo del vino tinto, lo regamos con el caldo de ave y lo dejamos cocer. Debemos remover con frecuencia para que el arroz vaya soltando el almidón. Salpimentamos.

Cuando el arroz esté listo añadimos el queso y un dadito de mantequilla. Removemos. Calentamos una sartén y cubrimos el fondo con parte del arroz. Lo socarramos hasta que se evapore el caldo y se pueda desmoldar como si fuera una tortilla. Lo reservamos en la sartén.

Por otro lado, preparamos la compota de calabaza: calentamos en una sartén la mantequilla; añadimos la calabaza, pelada y troceada, y el azúcar. Mojamos con agua y lo dejamos cocer 30 minutos. Pasado este tiempo, trituramos la compota y la reservamos. Pelamos el pomelo y con ayuda de un cuchillo sacamos los gajos.

Ponemos una sartén en el fuego con un poquito de aceite. Sellamos las pechugas y los muslos del pichón y los dejamos reposar fuera de la sartén para que no se pierdan los jugos al cortarlas.

Montamos el plato; volcamos el arroz socarrado, encima colocamos las pechugas y los muslos del pichón. Ponemos los dados de pomelo en el plato y 1 cucharada de la compota. Decoramos con los germinados.

Improvisaciones con los higos

- 5 higos congelados
- 200 ml de moscatel
- 50 g de miel
- 1 paquete de galletas trituradas
- 100 g de leche condensada
- 200 g de mantequilla
- 250 g de mascarpone
- 100 ml de nata
- 50 g de azúcar
- 2 fresones
- hojas de menta

Calentamos el moscatel en una cazuela de fondo ancho y añadimos los higos partidos por la mitad. Los confitamos a fuego lento durante 15 minutos. Agregamos la miel y mezclamos.

Después colocamos en un bol las galletas trituradas, la leche condensada y la mantequilla derretida. Con ayuda de una espátula mezclamos todos los ingredientes hasta conseguir una pasta.

Sobre el plato donde serviremos el postre colocamos un molde cuadrado de emplatar y lo rellenamos con la pasta de la galleta. Compactamos bien la pasta y lo reservamos en el congelador para que se endurezca.

Mientras, mezclamos con ayuda de unas barillas la nata con el mascarpone y el azúcar para preparar una crema batida. La reservamos.

En el momento de servir, sacamos del congelador el plato con la base de galleta, retiramos el molde y colocamos los higos encima de la base. Lo regamos todo con el almíbar de los higos y disponemos a un lado de la tarta un poco de crema. Decoramos con unas rodajas de fresón y terminamos con unas hojitas de menta.

Pollita guisada en salsa española

- 1 pollita
- 100 g de tocino
- 2 cebollas
- 2 dientes de ajo
- 1 rama de romero
- 1 rama de tomillo
- ½ vaso de vino fino
- ½ vaso de vino blanco
- 1 litro de fondo de ave
- 50 g de harina
- 5 zanahorias baby
- 5 guindillas thay
- 3 nabos
- 100 g de azúcar
- 100 g de mantequilla
- sal

Primero bridamos los muslos de la pollita y la rellenamos con las ramas de tomillo y romero, el ajo y una pizca de sal. Doramos la pollita en una cazuela con unas gotas de aceite. La sacamos y la reservamos.

A continuación, pelamos y picamos fina la cebolla y el ajo. En la misma cazuela utilizada anteriormente, pochamos la cebolla picada y el ajo. Cuando tomen color los regamos con los vinos y dejamos que se reduzcan a la mitad.

Introducimos la pollita en la cazuela, agregamos el fondo de ave y el tocino cortado en dados, y la dejamos cocinar 15 minutos o hasta que esté tierna.

Mientras, pelamos y torneamos los nabos y las zanahorias. En una sartén calentamos aceite y mantequilla para glasear los nabos, las zanahorias y las guindillas junto con el azúcar.

Una vez que la pollita esté lista, la sacamos de la cazuela, trituramos la salsa y la pasamos por un colador chino para que quede muy fina. Dejamos reducir la salsa a fuego lento para que adquiera textura y si es necesario, añadimos un poco de harina para que espese.

Por último, servimos la pollita con las guindillas, los nabos, las zanahorias y un poco de salsa española. Decoramos el plato con una ramita de romero.

Mousse de mango con mango confitado y mermelada

- 8 hojas de menta fresca
- 8 hojas de albahaca fresca
- 200 g de sorbete de fruta de la pasión
- goma xantana

Para el confitado:

- 1 mango
- 200 g de azúcar
- 200 ml de agua
- 1 vaina vainilla

Para la mermelada:

- 300 g de mango
- 300 g de azúcar
- 100 g de almendras crudas

Para la mousse de mango:

- 100 g de puré de mango
- 2 claras de huevo
- 200 ml de nata
- 100 g de azúcar
- 1 lámina de gelatina

Primero confitamos el mango. Para ello pelamos y cortamos en cuadrados pequeños el mango y lo confitamos a fuego lento en un cazo con agua, azúcar y vainilla.

Mientras, elaboramos la mermelada de mango. Ponemos en un cazo la pulpa del mango con el azúcar y la cocemos a fuego lento, removiendo.

Después, preparamos la mousse de mango. Montamos, por un lado, las claras con un poco de azúcar y, por otro, la nata, sin llegar a montarla del todo.

Derretimos la gelatina hidratada en un cazo.

Agregamos el puré de mango a la nata semimontada. Incorporamos el azúcar y batimos. Añadimos la gelatina, la integramos bien y agregamos las claras montadas, en dos tiempos para evitar que se bajen.

Guardamos la mousse en la nevera durante 2 horas.

Mientras, ponemos a hervir dos cazos con agua. En uno añadimos la albahaca y en el otro, la menta. Sacamos las hierbas rápidamente y las enfriamos en dos cuencos con agua y hielo para fijar la clorofila.

Trituramos las hojas de albahaca por un lado y las de menta por otro con un poco de agua. Las colamos ambas con un paño y las mezclamos con xantana para darles textura.

Para finalizar, servimos la mousse de mango con la mermelada, a la que habremos agregado las almendras y el mango confitado. Acompañamos el plato con el helado de fruta de la pasión y las clorofilas de menta y albahaca.

Lomitos de conejo guisados en salsa de curry thay

- 1 lomo de conejo
- huesos de conejo
- 1 cebolla
- 1 zanahoria
- 1 ramillete de tomillo limonero
- ½ vaso de brandy de Jerez
- 200 ml leche de coco
- 1 cucharadita de curry picante medio
- 10 zanahorias baby
- 50 g de mantequilla
- 5 guindillas thay
- germinados de cebollino
- hojas de pepino
- aceite de girasol
- aceite de cacahuete
- aceite de oliva
- pimienta blanca
- sal en escamas
- sal

Hacemos una salsa dorando los huesos en una sartén con un poco de aceite. Limpiamos bien los lomos y añadimos todos los recortes a la sartén.

Mientras, picamos la zanahoria y la cebolla en dados muy finos. Los agregamos a la sartén, lo aromatizamos todo con el tomillo limonero y el brandy y lo dejamos reducir. A continuación, añadimos la leche de coco y agua.

Salpimentamos e incorporamos el curry a la sartén. Cocemos hasta que la verdura esté blanda y se concentren los sabores. Entonces retiramos los huesos y trituramos la salsa. La colamos y la devolvemos a la sartén.

Seguidamente, en un cazo mezclamos un poco de aceite de cacahuete, de girasol y de oliva, y añadimos el lomo de conejo. Lo doramos a fuego muy suave durante 10 minutos. Después lo cortamos en filetes.

Troceamos las zanahorias baby y las glaseamos con mantequilla y un poco de agua en la sartén.

Servimos en el plato una línea de salsa. Sobre ella situamos los filetitos de conejo. Disponemos al lado las zanahorias y unas rodajas de guindilla. Terminamos con los germinados de cebollino, las hojas de pepino, una ramita de tomillo y unas escamas de sal.

Piña colada

- 1 piña
- 500 g de helado de piña
- canela en rama
- menta fresca

Para el escarchado de piña:
- 800 ml de zumo de piña
- 200 ml de ron de coco
- gelatina

Para la mousse de coco:
- 200 ml de leche de coco
- 75 ml de nata
- 500 g azúcar

Para el gel de ron:
- 100 ml de ron añejo
- 100 ml de agua
- 100 g de azúcar mascabado
- 2 g de agaragar o xantana

Para el gel de ron mezclamos el ron con el agua y el azúcar mascabado. Incorporamos el agaragar o la xantana y lo trituramos. Reservamos la preparación 1 hora en la nevera.

Por otro lado, elaboramos el escarchado de piña. Mezclamos el zumo de piña con el ron de coco y añadimos la gelatina hidratada y derretida en una pizca de agua caliente. Volcamos la mezcla en un recipiente y la congelamos durante 2 horas.

Para la mousse de coco, combinamos la leche de coco con la nata y el azúcar. Introducimos la mezcla en un sifón o la montamos con la batidora. La reservamos en frío.

Mientras, pelamos la piña y cortamos unas rodajas finas y unos dados.

Justo antes de servir la copa, caramelizamos los dados de piña espolvoreándolos con azúcar y tostándolos con un soplete de cocina.

Servimos en una copa una bola de helado de piña, el gel de ron y unas cucharadas de mousse de coco. Incorporamos el escarchado de piña, los dados de piña caramelizados y un trozo de la rodaja de piña. Decoramos la copa con unas hojas de piña, un palo de canela y unas hojitas de menta.

Pechugas y muslos de pato con lichis y teriyaki de cítricos y miel

- 2 pechugas de pato de Cantón
- 2 muslos de pato de Cantón
- 50 g de jengibre fresco
- pimienta de Sichuán
- 200 ml de aceite de cacahuete
- 100 ml de aceite de girasol
- 5 lichis en conserva
- 5 guindillas thay
- germinados de shisho
- germinados de cebollino
- sal en escamas

Para la salsa teriyaki:

- 100 g de azúcar
- 300 ml de salsa de soja
- 50 g de miel
- 75 ml de sake
- 5 ml de salsa mirin
- fécula de patata

Doramos los muslos en la sartén. Los introducimos en un cazo con el aceite de cacahuete rebajado con aceite de girasol y aderezado con pimienta de Sichuán y jengibre, y los confitamos hasta que se separe la carne del hueso.

En un cazo preparamos un caramelo con azúcar. Incorporamos la salsa de soja, la miel, el sake, un toque de salsa mirin y el caldo de los lichis. Lo dejamos cocer. Cuando la salsa esté lista, la ligamos con un poco de fécula de patata.

Por otro lado, retiramos el exceso de grasa de las pechugas y les damos unos cortes en la piel sin llegar a la carne.

En la sartén donde hemos dorado los muslos doramos también las pechugas, comenzando por el lado de la piel.

En un bol mezclamos los germinados de shisho con los lichis troceados y unas rodajas de guindilla.

Servimos en el plato una base de salsa teriyaki, la pechuga en rodajas y un montón de germinados con lichis. Colocamos el muslo de pato, unos germinados de cebollino y la guindilla. Terminamos con unas escamas de sal.

Platanitos flambeados con crema de coco y salsa toffee

- 100 ml de crema de coco
- 8 platanitos de Guinea
- 2 fresas
- 100 g de almendra molida
- 100 ml de sake
- miel
- azúcar

Para la salsa toffee de lichis:

- 200 g de azúcar
- 100 ml de nata
- 100 ml de puré de lichis

Pelamos todos los platanitos menos uno, los cortamos en trozos y los rehogamos en la sartén con mantequilla. Incorporamos la miel y un toque de azúcar y los flambeamos con el sake.

Pasamos los trozos de plátano por la almendra en polvo, dorada con un poco de azúcar para que queden empanados.

Para preparar la salsa toffee, primero calentamos el azúcar hasta obtener un caramelo. Añadimos la nata y, a continuación, el puré de lichis. Removemos bien.

Vertemos el toffee en la sartén donde hemos rehogado los plátanos y dejamos que se reduzca.

Servimos la crema de coco en el fondo del plato, colocamos los plátanos encima y adornamos el plato con unas rodajas finas de fresa. Añadimos unas rodajas de plátano sin pelar y terminamos con el toffee de lichis.

PARA GENTE VIP

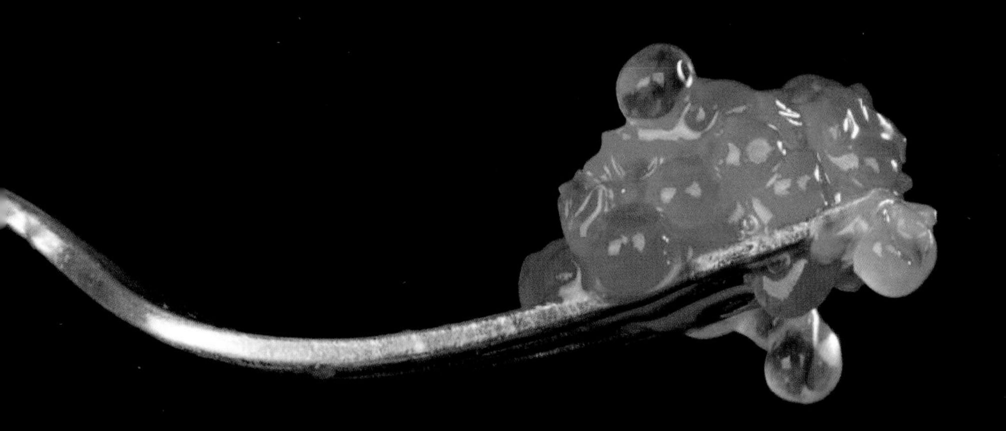

Blinis con crema agria

Para los blinis:

- 260 g de harina
- 250 ml de leche
- azúcar
- 30 g de mantequilla clarificada
- 20 g de levadura fresca de panadero
- 2 huevos
- sal

Para la crema agria:

- 250 ml de nata
- el zumo de ½ limón
- 50 g de cebollino
- pimienta al gusto
- sal

En primer lugar, vamos a elaborar los blinis. En un bol metemos la harina, el azúcar, una pizca de sal, las yemas de los huevos (las claras las reservamos) y leche. Mezclamos bien. Añadimos la levadura previamente disuelta en la leche templada (a no más de 40 °C) y seguimos mezclando.

Dejaremos reposar esta masa 30 minutos fuera de la nevera, tapada con un paño para que respire. Una vez finalizado el tiempo de reposo, le incorporamos la mantequilla clarificada y las claras montadas con azúcar a punto de nieve. Las claras las agregamos poco a poco, removiendo despacio para que no se bajen.

En una sartén con un poquito de mantequilla vamos colocando pequeñas porciones de masa con ayuda de una cuchara y las freímos.

Aparte preparamos la crema agria; ponemos todos los ingredientes en un bol, excepto el cebollino, y los mezclamos con las varillas. La dejamos que repose y después incorporamos el cebollino.

Finalmente presentamos los blinis en un plato con el caviar en el centro y servimos la crema agria aparte para acompañar.

Carpaccio de gamba roja con caviar

- 8 gambas rojas de Palamós
- 2 limones
- 2 hojas de gelatina
- 40 g de caviar
- agua
- soja
- germinados
- aceite de oliva
- sal de escamas

En primer lugar, exprimimos los limones en un cazo y lo ponemos al fuego para que se temple el zumo, que habremos rebajado con agua al 50 %. Cuando esté templado (no caliente), le añadimos las hojas de gelatina previamente hidratadas para que se derritan. Removemos y metemos el zumo en el congelador.

Pelamos las gambas y reservamos las cabezas. Hacemos un pequeño corte en las colas de las gambas para sacarles el intestino. Las colocamos entre dos papeles sulfurizados y con una espalmadera (o en su defecto, con un cazo) aplastamos dos gambas por comensal para hacer el carpaccio, y las congelamos.

Sacamos el jugo de las cabezas de las gambas, le añadimos un chorrito de salsa de soja y removemos. Sacamos el zumo de limón del congelador y lo machacamos para obtener un escarchado.

Finalmente, en el momento de servir ponemos en un plato el carpaccio de gamba, encima unos 10 g de caviar en forma de croqueta, unos trocitos desmigados del escarchado de limón y los germinados. Completamos el plato con un hilo de aceite de oliva arbequina, sal de escamas y el jugo de las cabezas de gamba por encima.

Frutos rojos en vino tinto, gratinados con sabayón de ron añejo

- 400 g de frutos rojos
- ½ litro de vino tinto del año
- 1 limón
- 1 naranja
- azúcar
- 1 rama de canela
- 1 clavo

Para el sabayón:

- 5 yemas de huevo
- 5 cucharadas de azúcar
- 1 chorro de ron añejo

En primer lugar, vamos a confitar el vino. Lo cocemos con una corteza de limón, una corteza de naranja y su zumo, el azúcar, la canela y el clavo durante 30 minutos aproximadamente, a fuego lento, para que se vaya infusionando.

Cuando el vino esté listo, lo colamos y lo pasamos a un cazo. Agregamos los frutos rojos y lo calentamos todo durante 5 minutos.

Para elaborar el sabayón mezclamos las yemas con el azúcar y un chorrito de ron en un bol de metal. Colocamos el bol al baño María y vamos cociendo la crema, batiendo con unas varillas de alambre hasta conseguir una textura espumosa.

Por último, colocamos los frutos rojos en una cazuelita de barro, los cubrimos con el sabayón y lo gratinamos en el horno a la máxima temperatura.

Carpaccio de boletus con praliné de piñones y ensaladita de rúcula

Para el confitado:
- 200 g de boletus
- 1 guindilla seca
- 3 dientes de ajo
- aceite de oliva virgen extra
- pimienta negra

Para el praliné de piñones:
- 100 g de piñones
- aceite de oliva

Para la ensalada:
- 100 g de rúcula
- 1 cebolleta
- 4 zanahorias baby
- reducción de vinagre de Módena
- sal de escamas

El primer paso es preparar los boletus confitados. Los sumergimos en agua hirviendo unos 30 segundos para que eliminen la suciedad (si son frescos tendremos que limpiarlos bien antes).

A continuación, los escurrimos bien y los metemos en un cazo con todos los ingredientes del confitado y los cubrimos de aceite. Los dejamos cocer a fuego muy lento, con el aceite hirviendo despacio, con burbuja grande, durante 1 hora más o menos.

Dejamos enfriar los boletus y escurrimos el aceite. Los envolvemos en film transparente haciendo unos rollos y los congelamos.

Para hacer el praliné doramos los piñones pelados en una sartén. Una vez dorados, hacemos una emulsión con el aceite en la batidora eléctrica, hasta conseguir la consistencia de praliné deseada. Para emplatar cortamos láminas finas de hongos congelados con una mandolina y las ponemos en la base de un plato. Extendemos encima una capa de praliné, la espolvoreamos con sal de escamas y colocamos en el centro un poco de ensalada de rúcula con la cebolleta, la reducción de vinagre de Módena y las zanahorias baby torneadas.

Trufa negra con foie y puerro en papillote de hojaldre

- 1 trufa negra
- 1 foie fresco
- 1 huevo
- 1 lámina de hojaldre
- 1 huevo
- 3 puerros
- mantequilla
- aceite de oliva

Limpiamos y cortamos los puerros en juliana y los pochamos en una sartén a fuego lento con un par de dados de mantequilla y un poco de aceite de oliva, hasta que queden bien tiernos y melosos.

Cortamos unos escalopes de foie de aproximadamente 100 g cada uno y los doramos a fuego fuerte en una sartén. Es importante marcarlo vuelta y vuelta para conseguir que quede bien dorado y caramelizado.

Pelamos con cuidado la trufa y la cortamos en láminas.

De la lámina de hojaldre cortamos ocho cuadrados de unos 7 centímetros de lado y 16 tiras de 1 centímetro de ancho por 7 centímetros de largo.

Pintamos 4 tiras de hojaldre con huevo, con la ayuda de una brocha, y las pegamos en uno de los cuadrados delimitando los bordes. Repetimos la operación con los otros tres cuadrados.

En el centro de estas bases colocamos un escalope de foie marcado, una porción de puerro y una lámina de trufa. Tapamos las bases con un cuadrado de hojaldre, con los bordes pintados con huevo. Pintamos la superficie con más huevo, lo dejamos secar y le damos una segunda capa.

Meteremos los hojaldres en el horno precalentado a 180 °C hasta que suba y coja un color dorado bonito.

Podemos servir los hojaldres con una salsa oscura aromatizada con trufa y un huevo escalfado.

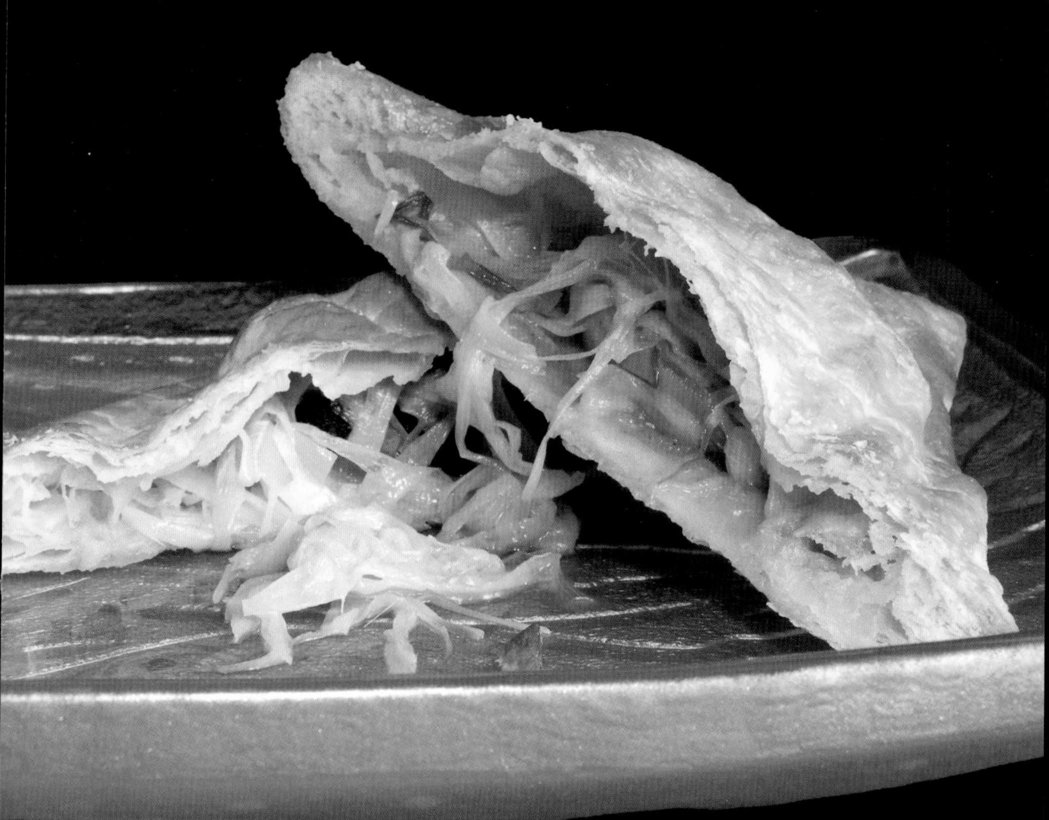

Perdices al chocolate

- 2 perdices
- 1 cebolla
- 2 dientes de ajo
- ½ litro de caldo de ave
- 1 vasito de vino tinto
- 150 g de chocolate negro
- cayena molida
- 1 cucharadita de canela en polvo
- guindilla
- aceite de oliva
- pimienta
- sal

Salpimentamos las perdices por dentro y por fuera y las sofreímos a fuego medio en una cazuela con el aceite caliente hasta dorarlas.

Agregamos a la cazuela la cebolla y los ajos picados. Removemos todo bien para que las hortalizas se empapen de la grasa y dejamos rehogar hasta que se doren.

En un cazo templamos el caldo de ave mezclado con el vino tinto. Cuando se haya calentado esta mezcla y se haya dorado la cebolla, la añadimos a las perdices junto con un poco de canela en polvo.

Lo dejamos cocer todo junto a fuego muy suave y con el recipiente semitapado, 1 hora y media más o menos. Si las perdices no quedan completamente cubiertas de caldo (dependerá del recipiente que usemos), tendremos que remojarlas de vez en cuando.

Cuando las perdices estén blandas, sacamos de la cazuela un vasito (100 ml) del jugo de la cocción, lo mezclamos en un cuenco con el chocolate rallado (si es chocolate de cobertura bastará con cortarlo en trozos pequeños) y lo removemos bien hasta que se derrita.

Agregamos esta mezcla y la pimienta de Cayena a la cazuela, removemos el fondo para diluir la salsa y, sujetando la cazuela por las asas, la sacudimos cuidadosamente para que las perdices se empapen de chocolate.

Cuando el guiso haya hervido 2 minutos muy suavemente, lo retiramos del calor y lo dejamos reposar varias horas antes de servirlo recién calentado.

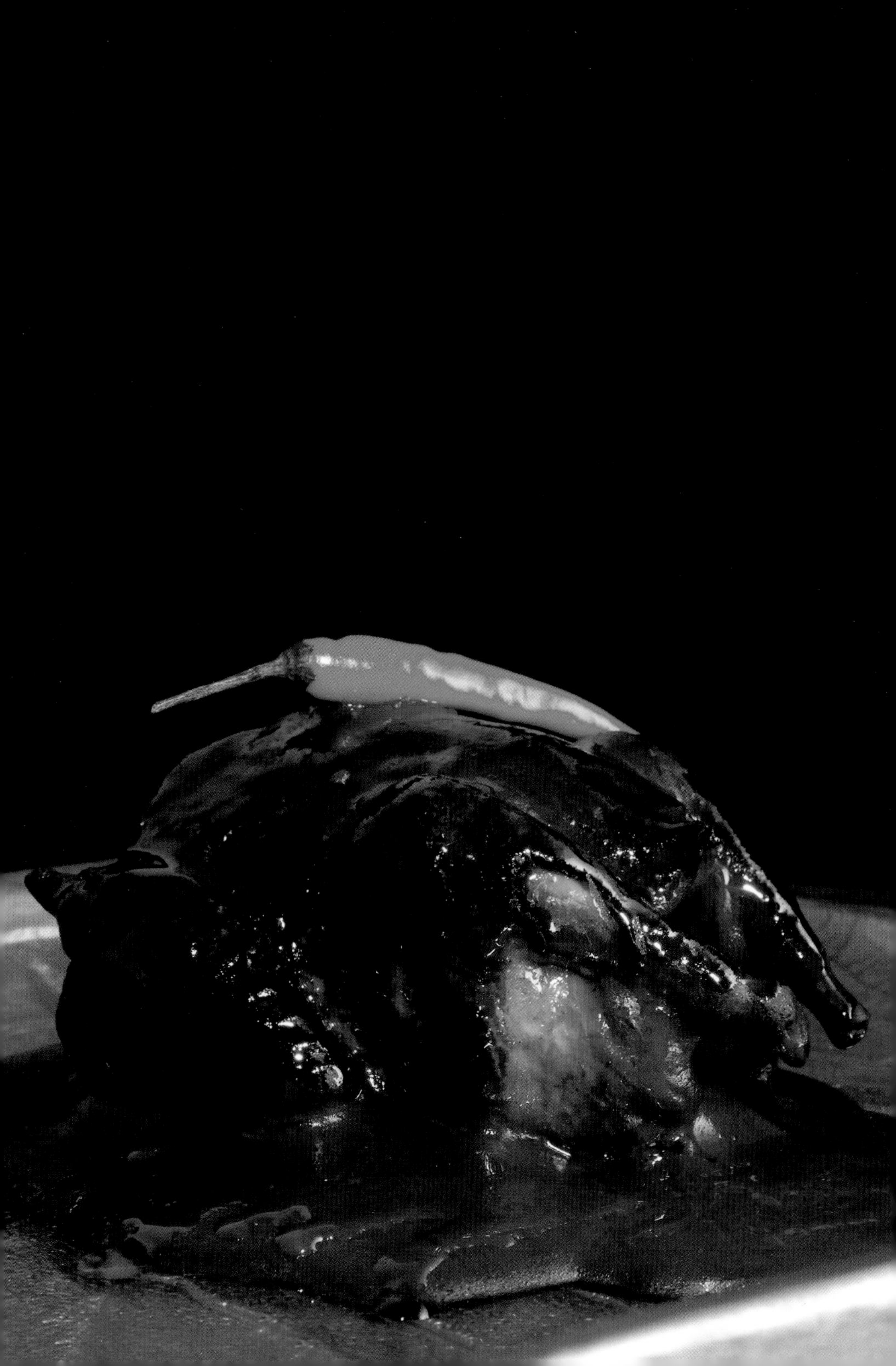

Bavarois a los tres chocolates con frutos rojos

- ½ litro de leche ½ litro de nata líquida
- 16 yemas de huevo
- 175 g de azúcar
- 12 hojas de gelatina
- 135 g de chocolate negro
- 135 g de chocolate blanco
- 135 g de chocolate con leche
- coulis de frutos rojos
- frutos rojos variados
- azúcar glas

Hacemos una crema inglesa con la leche, la nata, las yemas de huevo y el azúcar. Primero, mezclamos las yemas con el azúcar. Calentamos la nata hasta que empiece a hervir y la añadimos a las yemas.

Cocemos la preparación al baño María durante dos minutos, removiendo sin parar para que la yema no cuaje. Pasados los 2 minutos, añadimos las hojas de gelatina. Ponemos otra vez la crema al baño María para que se deshaga bien la gelatina y seguimos removiendo.

Cuando esté lista la crema, la repartimos en tres boles diferentes. En cada uno de los boles le añadimos uno de los diferentes tipos de chocolate. Mezclamos bien los ingredientes de cada bol.

Untamos unos moldes individuales con un poco de aceite, para que luego no se peguen los bavarois, y los rellenamos con un poco de cada mezcla. Los ponemos a enfriar en el refrigerador y dejamos que cuajen.

Cuando estén listos, los desmoldamos en los platos y los servimos espolvoreados con azúcar glas y acompañados con unos frutos rojos y un coulis de frutos rojos.

Penne con tomate Raf, albahaca fresca y guindillas

- 200 g de penne
- 100 g de tomate Raf
- 2 manojos de albahaca fresca
- 2 g de xantana
- 1 guindilla vasca fresca
- 50 g de germinados de pepino
- guindillas para decorar
- aceite de arbequina
- sal

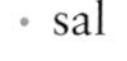

Primero cocemos la pasta en una cazuela con agua, abundante sal y un chorro de aceite de oliva.

Mientras tanto, preparamos la clorofila de albahaca. Para ello deshojamos los manojos de albahaca, guardamos unas cuantas hojas para decorar y el resto las metemos en agua hirviendo durante 2 segundos.

A continuación, las sumergimos en agua con hielo para que conserven el color, las escurrimos un poco y las pasamos por la batidora eléctrica con un poco de agua con hielo. Colamos la preparación obtenida con ayuda de una gasa.

Para darle textura a la clorofila de albahaca la mezclamos con la xantana y la reservamos.

A continuación, lavamos los tomates y los cortamos en taquitos. Cortamos también la guindilla fresca y la reservamos.

Cuando la pasta esté lista, la volcamos en una sartén con abundante aceite de oliva, junto con los tomates y la guindilla fresca y un poco de sal. Lo salteamos todo durante unos segundos para que se caliente.

Por último, servimos la pasta con el tomate y la guindilla fresca en los platos, la aderezamos con la clorofila de albahaca y la decoramos con la guindilla, unas hojas de albahaca y los germinados de pepino.

Crema fría de melón con helado de anís y aceite de oliva

- 1 melón
- 1 apionabo
- 100 ml de nata líquida
- 2 g de anís en grano
- 3 g de estabilizante de helado
- 1 fresón
- 50 g de germinados de anís
- aceite de oliva arbequina

Para empezar, hervimos en agua el apionabo troceado durante 15 minutos. Cuando esté tierno, lo escurrimos un poco y lo trituramos.

Mientras tanto, infusionamos la nata con el anís y un poco de azúcar durante 5 minutos. A continuación, la colamos, le agregamos el estabilizante de helado para que no se cristalice después, le añadimos un poco de apionabo triturado y mezclamos bien.

Dejamos enfriar la mezcla anterior y la pasamos por la mantecadora para obtener el helado. Si no disponemos de este utensilio congelamos la mezcla en un molde durante 12 horas.

Pelamos el melón, reservando unos trozos de corteza para montar el plato, lo despepitamos y lo pasamos por la batidora eléctrica, añadiendo un poco de azúcar o miel si le falta dulzor. Podemos aligerar la crema obtenida con un poco de agua para que quede como una especie de sopa.

Para terminar, servimos una *quenelle* de helado sobre un trozo de corteza del melón, vertemos la sopa alrededor y decoramos el plato con el fresón troceado, los germinados de anís y un chorrito de aceite de oliva.

PLACERES DEL MUNDO

MENÚ 24 Cocina francesa

Pot-au-feu de foie

- 1 foie
- 4 muslos de pato
- tocino
- 4 huesos de tuétano
- 200 g de judías blancas remojadas
- 2 zanahorias
- 2 cebollas
- apio
- 1 repollo

Ponemos todos los ingredientes, salvo el foie y el repollo, a cocer en una olla bien cubiertos de agua. Los dejamos cocer unas 2 horas y media a fuego lento.

Salpimentamos el foie, lo envolvemos en un paño y atamos los extremos.

Pasadas las 2 horas y media de cocción, cuando la carne de los muslos de pato esté tierna, añadimos el repollo y el foie envuelto en el paño a la olla. Los dejamos cocer 15 minutos.

En el momento de llevarlo a la mesa, servimos el potaje con el foie cortado y un poco de caldo.

Soufflé de chocolate

Para la salsa de chocolate:

- 50 g de cacao
- 100 g de azúcar
- 100 ml de nata líquida

Para el soufflé:

- 100 g de chocolate sin leche (con un 75 % de cacao)
- 4 huevos
- 30 g de cacao en polvo
- 60 g de mantequilla
- 100 g de azúcar glas

Para decorar:

- 6 tiras de naranja confitada

Para preparar la salsa de chocolate mezclamos en una cacerola el azúcar y el cacao e incorporamos la nata líquida poco a poco sin dejar de remover. Cocemos la salsa durante 5 minutos hasta que la mezcla haya menguado a la mitad.

Para preparar el soufflé, en primer lugar, debemos precalentar el horno a 190 °C.

Mientras, derretimos el chocolate al baño María, le añadimos la mantequilla y las yemas de los huevos y removemos bien.

Montamos las claras a punto de nieve y les agregamos el azúcar. Las incorporamos con delicadeza a la crema de chocolate.

Engrasamos 6 moldes individuales y los rellenamos hasta las tres cuartas partes de su capacidad con la preparación de chocolate. Los horneamos a media altura durante unos 8 o 10 minutos.

En el momento de servir, decoramos el soufflé con las tiras de naranja confitada.

Rabo de toro de lidia

- 1 rabo de toro
- 1 botella de vino tinto
- ½ botella de fino
- caldo de ternera
- 2 zanahorias
- 4 cebollas
- 2 ramas de apio
- 1 clavo
- pimienta negra en grano
- laurel
- harina
- aceite de oliva
- pimienta
- sal

La noche anterior ponemos el rabo a macerar en los vinos con la pimienta negra y el laurel y la mitad de las verduras cortadas en mirepoix.

Antes de empezar a cocinar, limpiamos el rabo de los nervios que pueda tener, lo salpimentamos y lo pasamos por la harina. Lo doramos en una sartén con un poco de aceite.

Cortamos el resto de las verduras en mirepoix y las doramos bien en el horno.

Reducimos los dos vinos de la maceración a la mitad, y hacemos lo mismo con el caldo.

En una olla profunda y apta para el horno ponemos los caldos, las verduras doradas y el rabo dorado, de modo que quede bien cubierto de líquido para que no se seque. Semitapamos la olla, la metemos en el horno precalentado a 150 °C y la dejamos durante aproximadamente 2 horas. El rabo estará hecho cuando se separe la carne del hueso y la gelatina que tiene esté bien tierna.

Sacamos el rabo de la olla y colamos la salsa. La vertemos en un cazo y la reducimos al fuego hasta que quede bien sabrosa y melosa.

Servimos el rabo bien salseado.

Torrijas con salsa de sidra y helado de vainilla

- 1 barra de pan del día anterior
- 1 litro de leche
- 1 rama de canela
- 1 corteza de limón
- 6 cucharadas de azúcar
- 2 huevos
- aceite de oliva para freír
- canela en polvo
- azúcar para espolvorear

Ponemos a cocer la leche con la canela y la corteza de limón durante unos 5 o 10 minutos. Añadimos el azúcar y removemos para que se disuelva bien. Hay que tener en cuenta que el pan admite bastante dulce.

Cortamos la barra de pan en rebanadas de unos 3 o 4 centímetros de grosor y las colocamos en una fuente un poco honda. Cubrimos las rebanadas con la leche hasta que se empapen bien (es importante bañarlas bien, para que no queden secas por dentro). Es bueno dejarlas reposar un par de horas en el frigorífico antes de freírlas.

Batimos los huevos en un plato hondo y, con la ayuda de una cuchara, pasamos las rebanadas por el huevo. A continuación, las freímos en aceite bien caliente en una sartén honda. Cuando estén doradas, las sacamos y las pasamos a una fuente.

Las espolvoreamos con azúcar y canela o, si lo preferimos, las cubrimos con almíbar o miel aclarada con agua.

Risotto de boletus con mayonesa de ajo y trufa blanca

- 200 g de arroz arborio
- 200 g de boletus
- 1 cebolla
- 1 diente de ajo
- 50 g de mantequilla
- 30 g de queso parmesano rallado
- ½ litro de caldo de verduras
- ½ vaso de vino blanco seco
- 1 diente de ajo
- aceite de oliva
- aceite de trufa blanca
- sal

Primero hacemos una crema de boletus: picamos la cebolla y la pochamos; una vez pochada, añadimos los boletus (reservamos cuatro) cortados en trozos y un diente de ajo picado. Cuando está todo bien dorado, lo pasamos por la batidora eléctrica y lo reservamos. Ponemos aceite en una cazuela y rehogamos en él los cuatro boletus reservados, añadimos el arroz y lo rehogamos todo junto. Cubrimos el arroz con el caldo y el vino blanco, y removemos constantemente mientras se cuece a fuego lento.

Cuando el arroz esté cocido en su punto, añadimos fuera del fuego la mantequilla cortada en dados y el parmesano, y removemos para que se forme una pomada. Rectificamos el punto de sal y servimos el risotto acompañado de la mayonesa de ajo y trufa blanca.

Pannacotta con frutos rojos

- 640 g de nata
- 200 ml de leche
- 200 g de azúcar
- 12 hojas de gelatina
- 1 vaina de vainilla
- 1 cucharadita de ron
- 400 g de frutos rojos
- 100 g de azúcar
- el zumo de 1 limón
- azúcar glas

Ponemos la gelatina en remojo y la reservamos.

Introducimos la nata en la batidora eléctrica con el licor, la leche, el azúcar y la vainilla. Ponemos el aparato en marcha programado para 10 minutos, 90 °C y velocidad 2. Antes de que termine, añadimos la gelatina y dejamos que se mezcle bien. Vaciamos la preparación obtenida en un molde y la dejamos enfriar. Mezclamos los frutos rojos con el zumo de limón y el azúcar y los dejamos reposar en la nevera.

En el momento de servir, desmoldamos la pannacotta, la colocamos en un plato, distribuimos los frutos rojos con su jugo alrededor y la espolvoreamos con azúcar glas.

Cuscús de cordero y verduras

- 1½ kg de paletilla de cordero troceada
- 800 g de cuscús fino
- 4 cebollas
- ½ kg de garbanzos remojados
- ½ kg de zanahorias
- ½ kg de nabos
- ½ kg de habas frescas
- 2 tomates maduros pelados y sin pepitas
- ½ kg de berenjena
- ½ kg de calabacín
- 2 pimientos picantes
- ½ kg de calabaza
- 100 g de mantequilla
- ½ cucharada de azafrán
- ½ cucharada de jengibre
- ½ cucharada de pimienta
- 1 manojo de cilantro
- 1 manojo de perejil
- 3 cucharadas de aceite de oliva
- aceite de cacahuete
- sal

Ponemos la carne en una olla junto con las especias, la cebolla troceada y el aceite de oliva. La sofreímos y, una vez dorada, añadimos 3 litros de agua y la llevamos a ebullición.

Incorporamos los garbanzos, las zanahorias, los nabos, las habas y el ramillete de cilantro y perejil.

Ponemos el cuscús en un bol con el aceite de cacahuete, lo humedecemos y lo desapelmazamos con las manos antes de meterlo en la cuscusera.

Lo cocemos al vapor en la cuscusera durante 15 minutos, lo dejamos enfriar y lo salpicamos con agua fría con sal. Lo sacamos de la cuscusera y lo dejamos reposar hasta que haya absorbido toda el agua.

Cuando la carne y los garbanzos estén casi cocidos, agregamos a la olla los tomates, las berenjenas, los calabacines y los pimientos picantes.

Ponemos de nuevo el cuscús en la cuscusera y lo colocamos sobre la olla otros 15 minutos. Lo sacamos a un barreño y dejamos enfriar de nuevo, lo mojaremos con agua sin sal y airearemos los granos.

En el momento de servir, ponemos el cuscús sobre la olla hasta que coja temperatura, mezclamos el cuscús con la mantequilla y lo bañamos con caldo hasta saturarlo. Lo pasamos a una bandeja con las verduras y el cordero en el centro.

MENÚ 27 Cocina africana

Nido de pasta kataifi con almendras, miel y pistachos

- 300 g de masa kataifi
- 300 g de miel
- 100 g de almendras picadas
- 50 g de azúcar glas
- 100 g de pistachos picados

Ponemos en un molde una base con la mitad de la masa de kataifi y la cubrimos con almendras, pistachos picados y miel. Reservamos un poco de las almendras y pistachos picados para decorar.

Encima ponemos la otra mitad de la masa kataifi. A continuación, mojaremos la superficie de la masa con un sirope hecho con miel y agua. Cubrimos con el resto de las almendras y pistachos picados y horneamos 30 minutos a 160 °C.

Para terminar, espolvoreamos la superficie con azúcar glas.

Shawarma de cordero

- pan de pita pequeño
- 1 pierna de cordero recental deshuesada
- cilantro
- hierbabuena
- comino
- cúrcuma
- pimentón
- pimienta
- aceite de oliva
- tomate
- cebolleta
- lima
- sal

Dejamos la pierna de cordero en adobo durante 24 horas. El adobo consistirá en cebolleta, cilantro, cúrcuma, pimentón, hierbabuena, comino y zumo de lima.

Salpimentamos la carne y la asamos en el horno con todas las verduras del adobo a 120 °C, regándola continuamente con su jugo, durante aproximadamente 3 horas.

Una vez asada, trinchamos la carne en lonchas finas. Abrimos tres panes de pita pequeños y los rellenamos con un poco de carne.

Aderezamos cada una de las pitas de manera diferente: una con puré de berenjenas (véase la receta en la página 126), otra con salsa de yogur (si la preparamos en casa pasamos 4 yogures griegos, 1 pepino, 1 diente de ajo, perejil, limón y sal por la batidora eléctrica y ligamos con aceite de oliva) y otra con salsa de chili, y las servimos acompañadas con una ensalada de tabulé con cebolleta, lima y cilantro.

Puré de berenjenas

- 800 g de berenjenas moradas
- 1 diente de ajo pequeño
- cilantro fresco picado
- comino
- perejil
- aceite de oliva virgen
- el zumo de ½ limón
- 1 cucharada de crema de sésamo
- sal

Quitamos el rabito a las berenjenas, las lavamos y las cortamos por la mitad. Les hacemos unos cortes por encima en rombos no demasiado profundos. Las horneamos a 180 °C durante 30 minutos más o menos, hasta que estén blandas y bien asadas.

Mientras, molemos en el almirez los cominos y, en su caso, las semillas de cilantro, y picamos bien el perejil.

Una vez se hayan enfriado las berenjenas, las pelamos y mezclamos la carne con el ajo, el zumo de limón, el cilantro, el comino, la crema de sésamo y la sal con un tenedor, de forma que quede un puré. Añadimos la mayor parte del aceite y el perejil y seguimos batiendo. Si quedase muy espeso podríamos aclararlo con una pizca de zumo de limón o un chorrito de agua.

Comprobamos el punto de sal.

Pato ahumado con té negro

- 1 pato

Para la marinada:

- pimienta de Sichuán
- pimienta negra
- vino chino
- jengibre
- ajo
- té negro
- aceite de cacahuete
- aceite de girasol

En primer lugar, mezclamos todos los ingredientes de la marinada en un recipiente grande y ponemos el pato a marinar durante 24 horas en el frigorífico.

Una vez marinado, sumergimos el pato en agua hirviendo unos segundos, lo sacamos y lo secamos perfectamente. A continuación, lo asamos en el horno a 120 °C durante 1 hora.

Cuando esté listo, lo ahumamos con el té durante 10 minutos y lo metemos al vapor durante otros 10 minutos. Así quedará la piel bien crujiente al freírlo.

Freímos el pato en aceite bien caliente, lo cortamos en cuartos, fileteamos las pechugas y lo servimos.

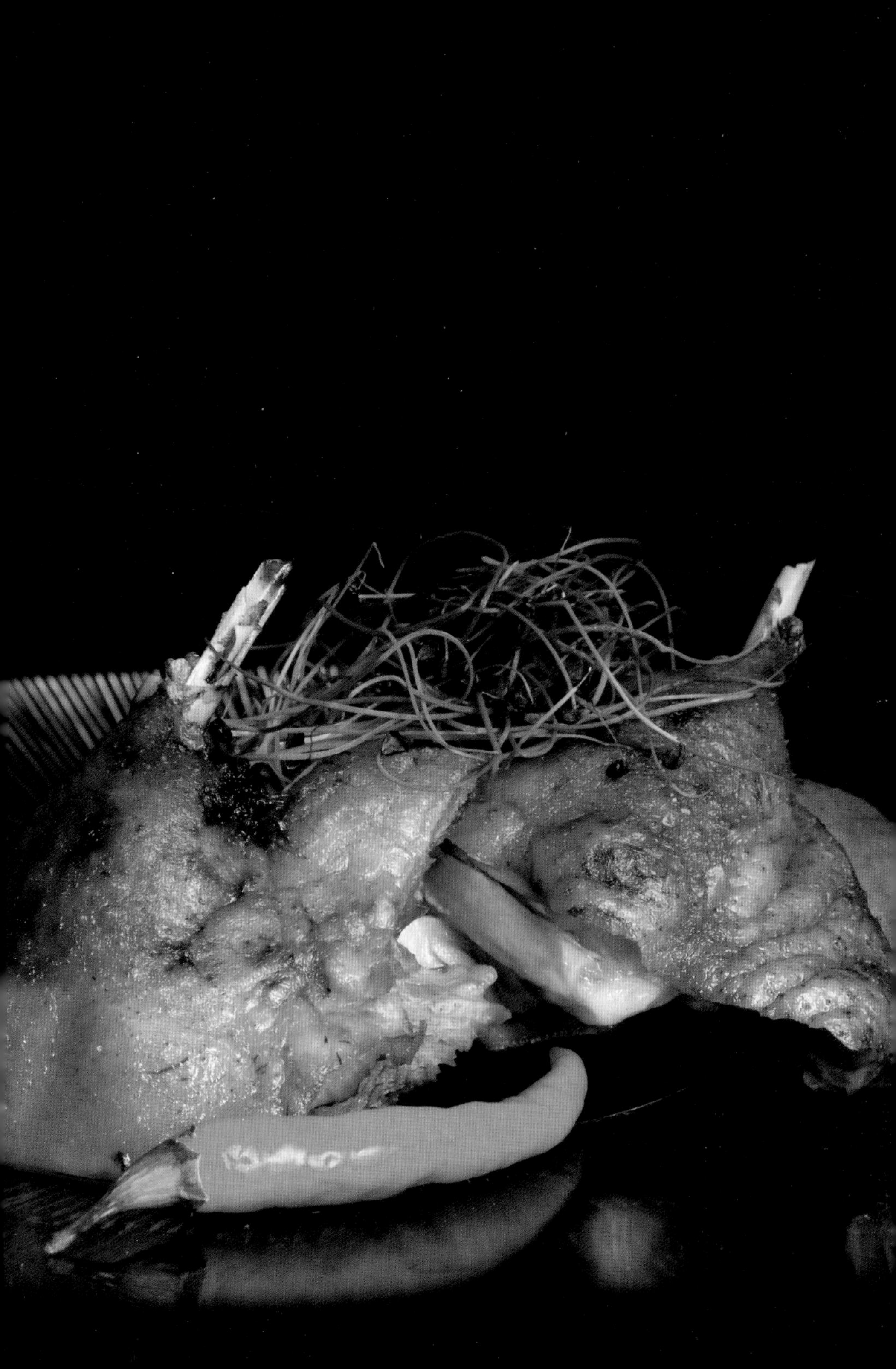

MENÚ 29 Cocina China

Fideos salteados con okra, guindillas y col china

- ½ kg de fideos finos de arroz
- 10 okras
- 5 guindillas
- 1 col china
- aceite de cacahuete

El primer paso es cocer los fideos.

A continuación, cortamos la okra y las guindillas en trozos y las salteamos junto con las guindillas enteras en el wok con el aceite de cacahuete.

Cuando las guindillas estén hechas, agregamos al wok el resto de los ingredientes y los salteamos todos juntos. Servimos enseguida.

Pollo con curry rojo muy picante

- 1 pollo cortado en sextos
- ½ taza de leche de coco
- 4 berenjenas tailandesas
- 2 hojas de lima kaffir o piel de lima normal
- 1 cucharada de salsa de pescado
- 1 cucharada de azúcar de palma
- aceite de girasol
- aceite de cacahuete

Para la pasta de curry:
- entre 5 y 10 guindillas rojas secas
- 10 dientes de ajo
- 1 cucharada de jengibre
- 1 cucharada de hierba limón
- 1 cucharadita de piel de lima rallada
- 1 cucharada de cilantro
- 5 granos de pimienta negra
- 1 cucharadita de comino
- un chorrito de salsa de pescado
- 1 cucharada de pasta de gamba fermentada (kapi)

Para acompañar:
- Arroz tailandés

En una sartén freímos a fuego lento la pasta de curry hasta que percibamos su fragancia, añadimos entonces poco a poco la leche de coco y seguimos cociendo hasta que veamos que se forma una fina capa de aceite en la superficie.

Añadimos a la sartén el pollo y todos los demás ingredientes menos la berenjena y los dejamos cocer hasta que el pollo cambie de color. Entonces, añadimos las berenjenas cortadas en trozos y seguimos cociendo hasta que el pollo esté tierno.

Servimos el pollo con la salsa acompañado con el arroz tailandés cocido.

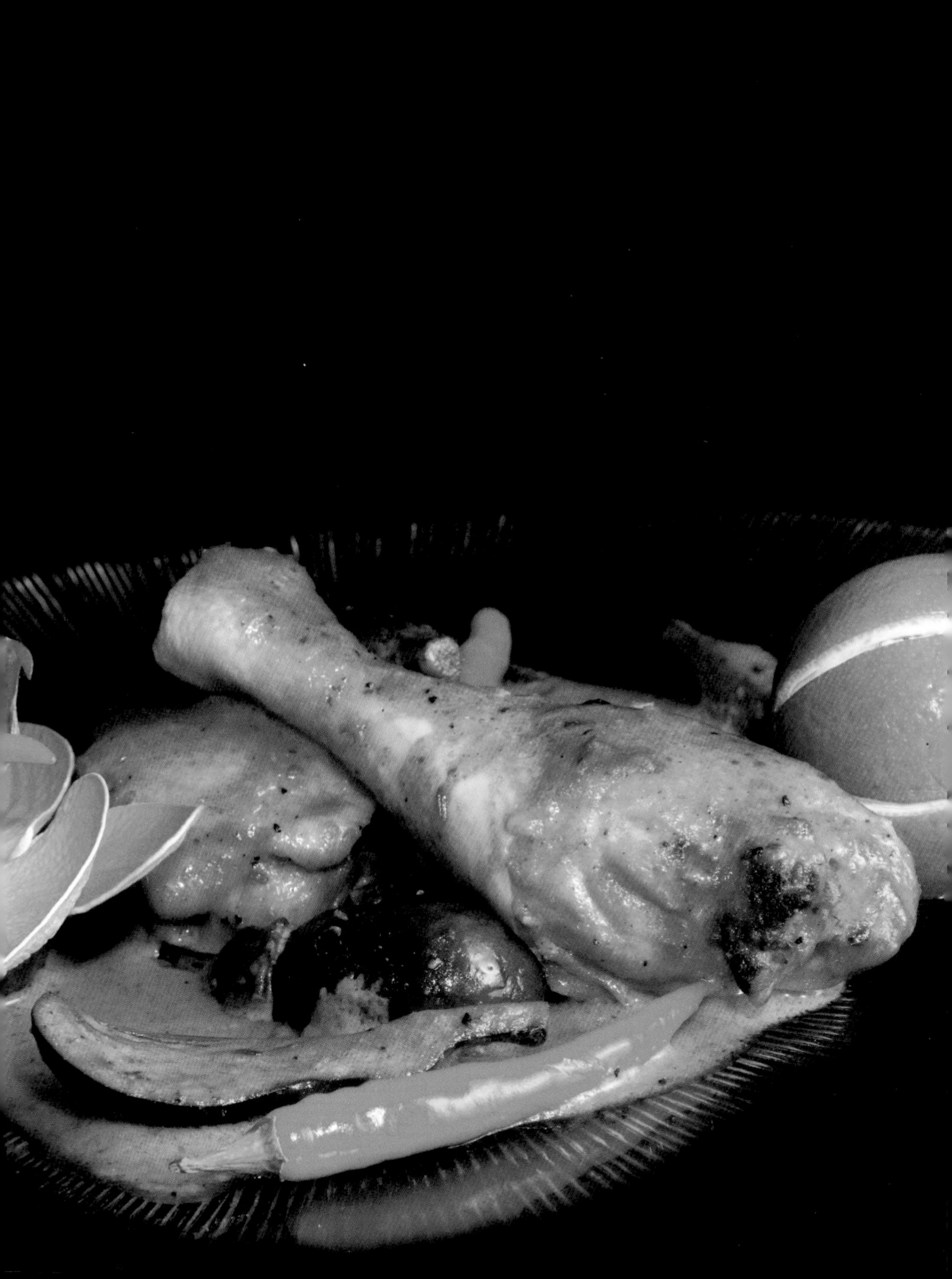

Gnocchis de taro con leche de coco caliente

- 1 kg de taro (ñame)
- 200 g de harina
- 1 huevo
- leche de coco
- 1 vaina de vainilla
- sal

Cocemos el taro hasta que esté blando. Lo pasamos por el pasapurés en caliente y le añadimos el huevo y luego la harina, debemos removerlo hasta obtener una preparación homogénea.

Formamos unos cilindros con la masa y los cortamos en trozos. Les haremos una pequeña marca con un tenedor.

Ponemos una olla con abundante agua salada en el fuego y la llevamos a ebullición. Vertemos los gnocchis en el agua hirviendo y, en cuanto salgan a la superficie, los retiramos.

Calentamos la leche de coco con las semillas de la vaina de vainilla y las dejamos infusionar.

Añadimos los gnocchis, los dejamos calentar 2 o 3 minutos y los llevamos a la mesa.

Tataki de atún con salsa teriyaki de cítricos y patata violeta

- ventresca de atún grande
- patata violeta
- aceite de girasol o de cacahuete
- sal de escamas

Para la salsa teriyaki:

- 4 cucharadas de salsa de soja
- 8 cucharadas de sake
- 4 cucharadas de zumo de limón
- 100 g de azúcar
- 50 g de agua

Para este plato la mejor parte de la ventresca es la parte alta, que cortaremos en tacos de unos 6 centímetros.

Calentamos una sartén con un poco de aceite de girasol o de cacahuete y marcamos el tataki, 30 segundos por arriba y 30 segundos por abajo.

Lo laminamos y lo servimos en el plato con la salsa teriyaki y la patata violeta previamente hervida.

Ostras con salsa ponzu y algas

- 12 ostras bien frescas
- 100 g de alga nori

Para la salsa ponzu:
- 4 cucharadas de salsa de soja
- 8 cucharadas de vinagre de arroz
- 4 cucharadas de zumo de limón
- 1 trozo de alga kombu

Abrimos las ostras y las ponemos en un plato con hielo debajo, vigilando que no pierdan su jugo.

Para preparar la salsa ponzu, mezclamos todos los ingredientes bien y dejamos macerar la mezcla entre 10 y 15 minutos.

Para servir, ponemos por encima de las ostras el alga nori cortada en láminas finas y la salsa ponzu.

Carpaccio de magret de pato con ensalada de brotes, mostaza de violetas y tres especias

- 1 magret de pato
- mostaza de violetas
- pimienta de Sichuán
- pimienta negra
- guindillas tailandesas
- brotes de lechugas
- cebolleta
- aceite de oliva
- vinagre
- sal de escamas

Salpimentamos el magret y hacemos unos cortes superficiales en el lado de la piel. Lo pasamos por una sartén bien caliente para dorarlo bien, insistiendo por el lado de la piel, aunque debe quedar totalmente crudo por dentro.

Envolvemos el magret con film transparente y lo metemos en el congelador. Una vez que está bien congelado, lo cortamos con una mandolina o una máquina cortadora en lonchas de unos 2 o 3 milímetros de grosor.

Con una brocha untamos el fondo de los platos de servir con mostaza de violetas. Encima acomodamos la lonchas de magret congelado.

Espolvoreamos el magret con la pimienta de Sichuán, la pimienta negra molida y las guindillas tailandesas cortadas en rodajas, y lo aderezamos con un buen chorro de aceite de oliva arbequina.

Finalmente, coronamos el carpaccio con una pequeña ensalada de brotes bien aliñada con aceite de oliva, vinagre y sal de escamas.

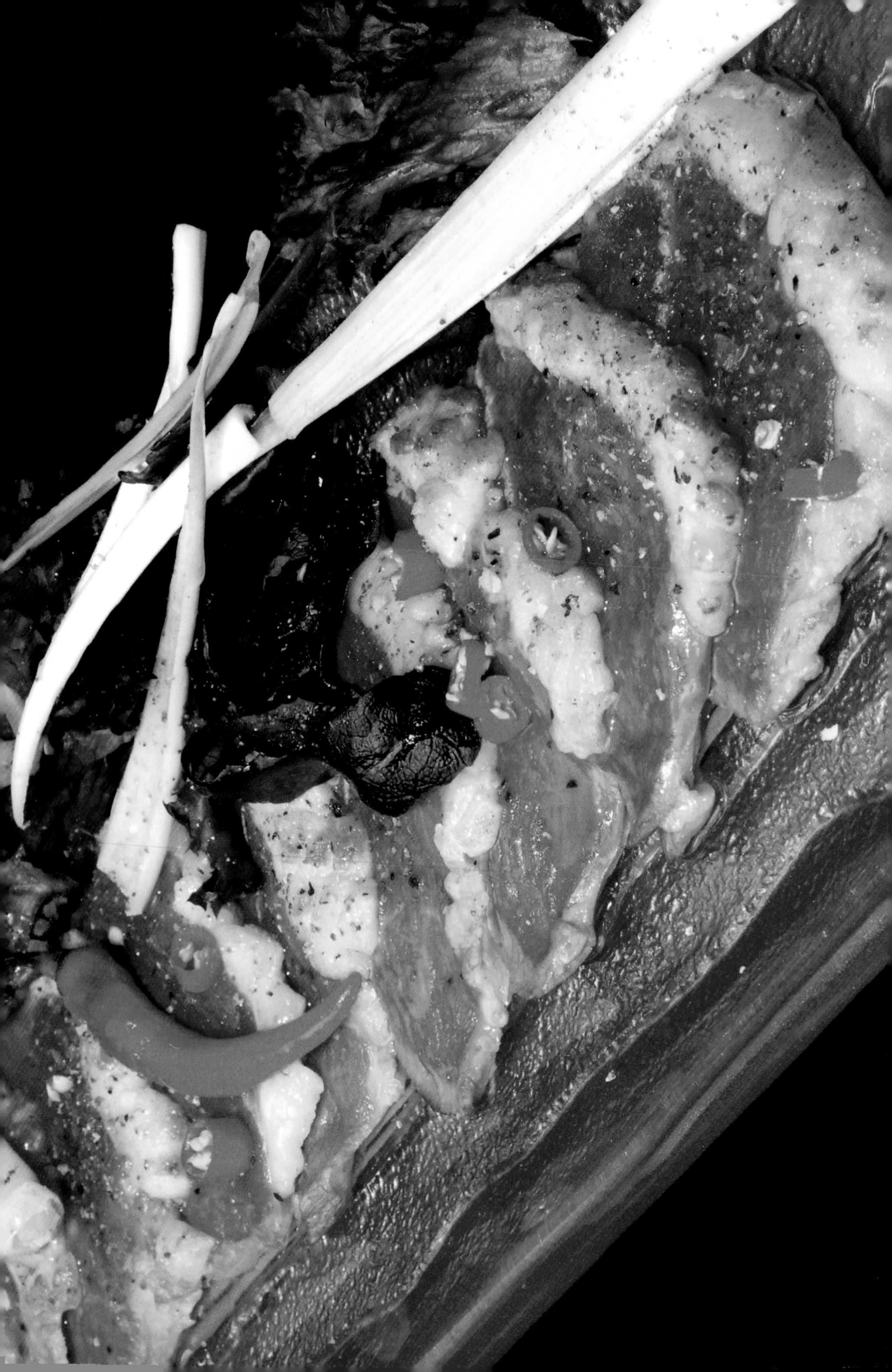

Pollo al curry «a mi manera»

- 8 contramuslos de pollo deshuesados
- 2 zanahorias
- 2 cebollas
- 2 manzanas
- curry en polvo
- 1 guindilla
- azúcar
- ½ litro de caldo de pollo
- 200 ml nata líquida
- sal y pimienta

Retiramos la piel de los contramuslos y los cortamos en dados. Los salpimentamos y los untamos con el polvo de curry.

Doramos el pollo en una cazuela con un chorrito de aceite de oliva. Cuando esté en su punto, añadimos las zanahorias y las cebollas cortadas en mirepoix, las manzanas peladas y cortadas en dados y la guindilla. Lo rehogamos todo junto de modo que la verdura sude.

En ese momento, agregamos el caldo de pollo y lo dejamos cocer una hora a fuego muy lento. Lo sazonamos con un poco más de curry en polvo.

Sacamos los dados de pollo de la cazuela y pasamos la salsa por la batidora eléctrica. Colamos la salsa con un colador fino y la vertemos de nuevo en la cazuela. Agregamos la nata y el pollo y lo dejamos cocer todo 15 minutos. Corregimos el punto de sal y de picante, y servimos enseguida.

MENÚ 33 Cocina caribeña

Pabellón criollo y tajadas de plátano macho

Para las caraotas:

- ½ kg de caraotas negras
- 2 cebollas medianas
- 1 pimentón rojo
- cebollino al gusto
- ají dulce
- pimienta dulce
- una pizca de comino
- un trozo de chuleta

Para la carne mechada:

- ½ kg de falda de res
- 2 cebollas medianas
- 2 pimentones
- 3 tomates
- ½ taza de leche de coco
- ají dulce al gusto
- pimienta dulce
- pimienta
- sal

Para las tajadas:

- 1 o 2 plátanos maduros

Para acompañar:

- arroz blanco hervido

En primer lugar, vamos a hacer las caraotas. En una olla colocamos agua suficiente para cubrirlas. Cuando hierva, las sumergimos en el agua y les añadimos sal al gusto y la chuleta o costilla. Las dejamos cocer una hora más o menos o hasta que las caraotas estén blandas.

Mientras, hacemos un sofrito con la cebolla, los pimentones, el ají, el cebollino, la pimienta dulce, el comino y sal. Cuando falten 15 minutos para que estén cocidas las caraotas, les agregamos el sofrito. Removemos y tapamos la olla hasta que el agua se haya consumido un poco.

Para hacer la carne mechada cocemos la carne en agua hirviendo, sazonada con sal, caldo, hierbas o al gusto. Una vez cocida y fría, procedemos a mecharla: con los dedos, separamos la carne en trozos de modo que parezcan hilachas, desechando pellejos y grasa.

Cortamos el resto de los ingredientes de la carne en juliana. En una sartén con aceite rehogamos la cebolla y el pimentón, agregamos el tomate y, cuando se haya reducido, añadimos la carne. Sazonamos.

Por último, agregamos la leche de coco y la dejamos cocer hasta que se haya formado una salsa. Debe quedar jugosa.

Para las tajadas, cortamos el plátano en rodajas de medio centímetro de grosor, o un poquito menos, y las freímos en aceite bien caliente hasta que estén doradas.

Cuando esté todo listo, servimos en cada plato una taza de arroz blanco, una taza de caraotas y una porción de carne mechada, y lo rodeamos con tres o cuatro tajadas.

Torta de cambur

- 6 cambures maduros y grandes
- 1 taza de leche
- 250 g de mantequilla
- azúcar
- 1 limón
- papelón
- 4 huevos
- 2 tazas de harina
- 1 cucharadita de levadura
- 1 cucharadita de canela en polvo
- miel

Pelamos y cortamos en rodajas tres cambures y los licuamos con un poco de leche hasta obtener una pasta fina. Añadimos la mantequilla, el azúcar y el resto de la leche.

Pelamos el resto de los cambures y los partimos por la mitad. Les retiramos el corazón, los rociamos con zumo de limón y papelón y los reservamos.

A continuación, cascamos los huevos y separamos las claras de las yemas. Batimos las yemas hasta que estén espumosas y montamos las claras a punto nieve.

Tamizamos la harina con la levadura.

Unimos primero las yemas a la mezcla del cambur con movimientos suaves alternando con la harina. Luego incorporamos las claras de la misma forma.

Untamos un molde con mantequilla y vertemos parte de la mezcla, alternando con los trozos de cambur rociados con zumo de limón hasta terminar la mezcla.

Horneamos la torta durante 1 hora a 160 °C. La dejamos enfriar, la desmoldamos, la bañamos con miel y la espolvoreamos con canela.

Frutas exóticas, melocotón, cacao y violetas

- 10 physalis
- 2 pitahayas o frutas del dragón
- 100 g de grosellas
- 200 g de cobertura de chocolate blanco
- 180 ml de nata líquida
- 100 ml de aceite de girasol
- 10 gotas de esencia de violetas sosa
- 100 g de maltodextrina
- 4 melocotones en conserva
- 100 g de azúcar moreno
- ½ vaso de agua
- polvo de caramelo de violetas
- 50 g de semillas de cacao
- 2 manojos de menta

En primer lugar, troceamos el chocolate blanco y lo colocamos en un bol. Calentamos la nata y la vertemos encima del chocolate blanco. Dejamos que se funda, removemos bien y lo enfriamos en la nevera.

Ponemos el aceite de girasol en una cazuela con la esencia de violeta. Incorporamos, poco a poco, la maltodextrina para conseguir una especie de migas de polvorón.

Después, troceamos el melocotón y lo ponemos en un cazo con el azúcar y medio vaso de agua. Lo calentamos y lo cocemos 10 minutos.

Servimos el polvorón con un poco de polvo de violeta, las grosellas, los phisalys, la fruta del dragón cortada en rodajas, las semillas de cacao, la crema de chocolate blanco alrededor y el melocotón. Decoramos el plato con la menta.

ÍNDICE DE RECETAS

ÍNDICE DE RECETAS

86 Para gente VIP

ÍNDICE DE RECETAS

Placeceres del mundo

ÍNDICE DE INGREDIENTES MILAGROSOS

Higo

Jengibre

Mango

Marisco

Miel

Plátano

Vainilla

Vino tinto

Trufa